D0806547

LE SECRET DE POLICHINELLE

DU MÊME AUTEUR

Dans la même collection :

Laissez tomber la fille
Les souris ont la peau tendre
Mes hommages à la donzelle
Du plomb dans les tripes.
Des dragées sans baptême.
Des clientes pour la morgue.
Descendez-le à la prochaine
Passez-moi la Joconde.
Sérénade pour une souris défunte
Rue des Macchabées.
Bas les pattes.
Deuil express.
J'ai bien l'honneur de vous buter
C'est mort et ça ne sait pas.
Messieurs les hommes.
Du mouron à se faire.
Le fil à couper le beurre.
Fais gaffe à tes os.
A tue... et à toi.
Ça tourne au vinaigre.
Les doigts dans le nez.
Au suivant de ces messieurs.
Des gueules d'enterrement.
Les anges se font plumer.
La tombola des voyous.
J'ai peur des mouches.
Du poulet au menu.
Tu vas trinquer, San-Antonio.
En long, en large et en travers.
La vérité en salade.
Prenez-en de la graine.
On t'enverra du monde.
San-Antonio met le paquet.
Entre la vie et la morgue.
Tout le plaisir est pour moi.
Du sirop pour les guêpes.
Du brut pour les brutes.
J'suis comme ça.
San-Antonio renvoie la balle.
Berceuse pour Bérurier.
Ne mangez pas la consigne.
La fin des haricots.
Y a bon, San-Antonio.
De « A » jusqu'à « Z ».
San-Antonio chez les Mac.
Fleur de nave vinaigrette.
Ménage tes méninges.
Le loup habillé en grand-mère
San-Antonio chez les « gones »
San-Antonio polka.
En peignant la girafe.
Le coup du père François.
Le gala des emplumés.
Votez Bérurier.
Bérurier au sérail.
La rate au court-bouillon.
Vas-y Béru !
Tango chinetoque.
Salut, mon pope !
Mange et tais-toi.
Faut être logique.
Y a de l'action !
Béru contre San-Antonio.
L'archipel des Malotrus.
Zéro pour la question.
Bravo, docteur Béru.
Viva Bertaga.
Un éléphant, ça trompe.
Faut-il vous l'envelopper ?
En avant la moujik.
Ma langue au Chah.
Ça mange pas de pain.
N'en jetez plus !
Moi, vous me connaissez ?

Emballage cadeau.
Appelez-moi, chérie.
T'es beau, tu sais !
Ça ne s'invente pas !
J'ai essayé : on peut !
Un os dans la noce.
Les prédictions de Nostrabérus.
Mets ton doigt où j'ai mon doigt.
Si, signore.
Maman, les petits bateaux.
La vie privée de Walter Klozett.
Dis bonjour à la dame.
Certaines l'aiment chauve.
Concerto pour porte-jarretelles.
Sucette boulevard.
Remets ton slip, gondolier.
Chérie, passe-moi tes microbes !
Une banane dans l'oreille.
Hue, dada !
Vol au-dessus d'un lit de cocu.
Si ma tante en avait.
Fais-moi des choses.
Viens avec ton cierge.
Mon culte sur la commode.
Tire-m'en deux, c'est pour offrir.
A prendre ou à lécher.
Baise-ball à La Baule.
Meurs pas, on a du monde.
Tarte à la crème story.
On liquide et on s'en va.
Champagne pour tout le monde !
Réglez-lui son compte !
La pute enchantée.
Bouge ton pied que je voie la mer.
L'année de la moule.
Du bois dont on fait les pipes.
Va donc m'attendre chez Plumeau.
Morpions Circus.
Remouille-moi la compresse.
Si maman me voyait !
Des gonzesses comme s'il en pleuvait.
Les deux oreilles et la queue.
Pleins feux sur le tutu.

Hors série :

L'Histoire de France.
Le standinge.
Béru et ces dames.
Les vacances de Bérurier.
Béru-Béru.
La sexualité.
Les Con.
Les mots en épingle de San-Antonio.
Si « Queue-d'âne » m'était conté.
Les confessions de l'Ange noir.
Y a-t-il un Français dans la salle ?
Les clés du pouvoir sont dans la boîte à gants.
Les aventures galantes de Bérurier.

Œuvres complètes :

Vingt et un tomes déjà parus.

SAN-ANTONIO

LE SECRET DE POLICHINELLE

ROMAN

ÉDITIONS FLEUVE NOIR
6, rue Garancière, PARIS-VIe

Édition originale parue dans notre collection Spécial-Police sous le numéro 145.

ISBN 2-265-02725-1

Tous mes personnages sont fictifs, inutile de me chercher des rognes !

S.-A.

A Annie ROBERT
et à Paul CHALANT.
En souvenir d'un coup de fusil
qui n'est pas parti.

S.-A.

PREMIÈRE PARTIE

CHAPITRE PREMIER

RÉALISATION D'UN *SECRET* DÉSIR

Nous nous déployons dans la plaine — ce qui permet une plus grande liberté de mouvements — Pinaud, Bérurier et moi. Nous avançons à la façon espagnole, c'est-à-dire en éventail. Olé !

Mais, avant d'aller plus avant dans ladite plaine et dans l'action de ce remarquable ouvrage (1), il faut que je vous décrive un peu la troupe, mes pauvres enfants.

Je vous campe les personnages par ordre d'ancienneté. A savoir : primo, Pinuche. Il a roulé son falzard dans des bottes de caoutchouc qui sentent le fond de barque à

(1) En dernière, que dis-je, en suprême minute, comme l'imprimeur mettait sous presse et comme l'éditeur se mettait à table, nous avons appris qu'on parlait de ce livre pour le Nobel ! C'est comme je vous le dis, appelez-moi Maître, et prêtez-moi mille balles !

pêche. Il porte un chandail tellement troué qu'un pain de gruyère en pleurerait de jalousie, une limace au col déchiqueté, une cravate écossaise (manière de se donner un côté sport) dont chacun des carreaux comprend une tache de graisse aux reflets moirés et par-dessus (et par surcroît) un suroît en toile jaune huilée qui le fait ressembler à une mayonnaise réussie. A chacun de ses mouvements, le suroît produit un bruit de brindilles cassées. Quand Pinaud marche, on dirait un troupeau d'éléphants en visite dans une fabrique d'allumettes. Pour couronner ce harnachement, il s'est coiffé d'un vieux chapeau de feutre dont Mme Pinaud a découpé les bords avec de mauvais ciseaux à broder sans doute ! Avec cette toiture, il ressemble à un vieux Tyrolien dans la débine.

A sa dextre avance Bérurier. Mordez l'homme : chaussures de ski, chaussettes de laine très montantes sur un bénard de velours côtelé. Il s'est noué autour de la brioche une ceinture de flanelle. Et il s'est confectionné une veste de chasse en coupant le bas d'un imperméable hors d'usage. Ainsi loqué, il fait moujik en diable. D'autant qu'il s'est coiffé d'une casquette à trapon. Pour faire chasseur d'élite, il a noué à son cou un immense mouchoir à carreaux dont il s'était, hélas ! servi auparavant pour épancher un mauvais rhume. Quand on a vu ces deux types ainsi fringués, on ne peut plus les oublier, même si on a le bulbe qui se met à couler. Je me marre tout en les escortant dans l'immense plaine annoncée à l'extérieur. Ça n'est pas celle de Waterloo, mais elle est aussi morne. Nous sommes dans les environs de Briare et le terrain que nous arpentons constitue la chasse privée de M. Pardérière, des chaussures Pardérière et Co (1).

M. Pardérière marche par côté. C'est un grand bonhomme qui serait roux s'il avait des tifs et pauvre s'il n'avait pas une fortune évaluée à plusieurs centaines de millions. Le gars Béru se trouve être le cousin de son garde-chasse. Il lui a rendu un grand service récemment, pas au garde-chasse, mais au marchand de pompes. M. Pardérière s'était attrapé avec un poulardin, le cogne et lui avaient échangé des paroles blessantes, puis des gnons qui l'étaient davantage car ce

(1) Ne pas confondre avec le slip Pardevan, celui qui fait parler le bédiglas !

bienfaiteur du pied humain a la main leste. Bref, l'affaire aurait eu des conséquences fâcheuses si Bérurier n'était intervenu. Pour le remercier, Pardérière a exaucé le plus cher désir du Gros : il l'a invité à une partie de chasse sur ses terres. Béru s'est débrouillé pour faire inviter son supérieur hiérarchique, c'est-à-dire votre San-Antonio bien-aimé, ainsi que son coéquipier Pinauchaud ! Et voilà pourquoi vous avez présentement trois gentlemen de la maison parapluie sur le sentier de la guerre.

Une gentille armada, croyez-moi. Les garennes sont tellement impressionnés qu'ils annulent leurs rendez-vous de la journée pour rester planqués dans leur abri-refuge. Voilà une bonne heure que nous marchons sans avoir aperçu la queue d'un...

Le Gros transpire déjà comme un chandelier à cinq branches, et Pinaud commence à avoir de la peine à coltiner son fusil...

Nous poursuivons cependant notre marche forcée... Nous arrivons à la lisière d'un boqueteau où Pardérière nous a signalé du faisan.

Les chiens reniflent à tout va en faisant gnouff-gnouff.

— Ça m'étonnerait que ces cabots lèvent

quelque chose, prédit Bérurier qui se prétend sagace en matière de chasse.

— Tout ce qu'ils vont lever, c'est la patte, geint Pinuche qui n'en peut plus...

« Moi, ajoute-t-il, je vous préviens : je ne vais pas plus loin que le bois. Ce matin, justement, j'ai mon rhumatisme qui me fait mal dans l'épaule. Voulez-vous parier que le temps va changer ? »

Personne ne se hasarde à miser sur une éventualité aussi probable. Le vieux gland continue de trimbaler son arquebuse en gémissant.

Béru se met à tirer une langue de gargouille. Il se rapproche de moi et murmure :

— Je la pile. T'as pas un flacon de quelque chose sur toi ?

— Non ! Comment se fait-il que tu n'aies rien pris ?

— Je pensais que Pardérière aurait ce qu'il faut. Tu te rends compte ? On a fait au moins cinq bornes en zigzag, non ?

— Pas loin !

— Jamais je n'ai parcouru une telle distance sans boire. Pourvu qu'il y ait ce qu'il faut au gueuleton de midi...

Il se met à rêvasser sur ce mystère. Soudain, M. Pardérière s'écrie :

— A vous ! A vous !

Nous levons la tête dans des directions multiples. J'avise un superbe faisan posé en plein champ. Je tire. Des plumes volent et le faisan choit sur la terre grasse en attendant que ce soit sur un canapé (1).

Pendant que je braquais mes batteries sur cette cible, le Gros, un peu miro, a foudroyé l'un des setters irlandais du marchand de lattes qui pleure à chaudes larmes son gaïe pulvérisé.

Béru est très embêté.

— Mande pardon, murmure-t-il, j'ai cru que c'était un lièvre. De loin, la perspective, hein ?

— On peut se tromper, décrète Pinaud, magnanime...

(1) Je profite de l'occasion pour vous donner la recette du faisan rôti. Prendre un faisan assez tendre, ou, à défaut, un corbeau adulte. Plumez, videz et flambez votre faisan (ou votre corbeau). Lorsqu'il est carbonisé, mettez les plumes dans un édredon pouvant aller au four. Ajoutez cinquante grammes de poudre à éternuer, un bandage herniaire, une année bissextile, du poivre, du sel et le dernier roman de San-Antonio. Mettez cuire pendant un an et un jour. Si, au bout de ce laps de temps, personne n'est venu le réclamer, vous pouvez jeter le tout à la poubelle.

Moi, je vais ramasser mon bestiau et je le glisse dans ma gibecière. Félicie va être contente quand je vais déballer ce monsieur.

On console Pardérière et on continue les hostilités.

Bérurier promet de regarder à deux fois avant de tirer. Ses performances me prouvent que j'ai eu raison de me placer en retrait par rapport à lui. C'est, en effet, plus prudent. La dernière fois qu'il a chassé, c'est dans le prose d'un péquenot qu'il a tiré et le bonhomme n'a pas pu s'asseoir pendant deux mois. Vous allez me dire qu'un paysan, ça vit surtout debout ? D'accord... N'empêche que si c'était arrivé à Charpini, il était obligé de se faire mettre à l'assurance !

Parvenu au petit bois, Pinuche s'écroule au pied d'un arbre. Il se relève très vite car l'arbre en question est un châtaignier et, sous ses rameaux, le sol est tapissé d'écorces piquantes. Il vient de se planter une série d'épines dans le valseur. Sans l'ombre d'une hésitation, il tombe le grimpant et demande à Béru de lui ôter ces corps étrangers. Bonne âme, le Gros s'agenouille devant les fesses maigrichonnes et flétries du père Lajoie. Avec ses gros ongles cassés et porteurs d'un deuil cruel, il plume le dargeot de notre honorable collègue, lui arrachant des morcifs de bidoche dans son désir de bien faire.

Pardérière et moi poursuivons notre chasse après un bref regard à l'intermède affligeant. Une faisane s'envole d'un arbre. Le commerçant la flingue sans rémission. Il fait un peu la gueule à cause de son setter, pourtant son magistral coup de fusil le défige un brin...

Nous avons parcouru une demi-borne environ lorsqu'un coup de feu éclate derrière nous. Je me retourne pour voir si c'est Pinaud que Bérurier a tué, mais non, les deux compères cavalent entre les troncs. Au pas gymnastique, je les rejoins.

— Je viens de tirer une faisane, me crie Pinuche... Superbe volatile en vérité !

— Seulement on la retrouve pas, déplore le Gros...

— Tu es certain de l'avoir touchée ?

Ce doute déprime le vieux qui renaude méchamment.

— Apprends, San-Antonio, que j'ai été l'un des meilleurs fusils de mon régiment.

Médaille de bronze, s'il te plaît ! Quand j'avais vingt ans, je coupais une carte à jouer à cinquante pas !

— Seulement, maintenant, tu ne serais même plus capable de couper la parole à un muet !

Cette boutade, d'un humour discutable, j'en conviens (1), le laisse aussi froid qu'une expédition dans l'Arctique (2).

Tout à coup, le Gros, qui fouillait un buisson, pousse un cri de trident. Il se baisse et ramasse un tas de plumes qu'il brandit en hurlant :

— V'là l'animal !

Nous nous approchons et faisons cercle, ce qui à deux représente une certaine performance. En fait de faisane, c'est un pigeon que Pinuche a bousillé. Si cela enlève à la valeur du gibier, ça donne du prix à celle de son coup de flingot, un pigeon étant plus petit qu'un faisan.

Le père Pinuche se saisit de sa victime et

(1) Je suis toujours le premier à reconnaître mes faiblesses. De toutes mes nombreuses qualités, la modestie étant la principale.

(2) Ces expéditions sont dangereuses. Ne parle-t-on pas fréquemment de « L'Arctique de la mort » ?

se met à la palper dans la région du jabot.

— Il n'est pas tout à fait mort ? interroge Béru ?

— Comment est son pouls ? demandé-je. Agité, capricant, concentré, critique, cymatode, dicrote, fébrile, filiforme, formicant, fourmillant, fréquent, inégal, intercadent, intercurrent, intermittent, irrégulier, misérable, myure, ondulant, récurrent, serratile ou vermiculant ?

Pinaud hoche la tête.

— Il est arrêté, tout simplement.

Il va pour enfouir sa proie dans la boîte à masque à gaz qui lui sert de gibecière, mais quelque chose retient à deux mains mon attention pour l'empêcher de glisser sur une bouse de vache.

Et le quelque chose en question n'est autre qu'un minuscule étui de métal fixé à la patte du pigeon par une bague spéciale.

— Attends voir !

J'examine l'objet.

— Dis, Pinuche, c'est un pigeon voyageur que tu as abattu.

— Penses-tu !

— Ben, regarde ! Ou alors çui-là était vaguemestre dans son unité !

Je m'empare de la bague et de son étui. A l'intérieur de ce dernier, je découvre une petite feuille de papier pelure couverte de signes et de caractères bizarres.

— Qué zaco? fait Béru, lequel parle couramment l'italien.

— Un message chiffré...

Pinaud n'en revient pas.

— Nom d'un chien! se lamente-t-il, j'ai intercepté une communication de l'armée! Pourvu qu'on ne me fusille pas!

Je le rassure.

— Voilà belle lurette qu'on n'utilise plus les pigeons dans l'armée, sauf avec des petits pois et des croûtons frits.

— Alors? s'inquiète Bérurier, qu'est-ce que ça veut dire?

— Aucune idée. C'est peut-être un concours entre colombophiles, et c'est peut-être un truc louche. Je passerai ça au Vieux, il avisera.

— Tu crois que c'est comestible, un pigeon voyageur? s'inquiète Pinaud qui revient en galopant à des considérations gastronomiques.

— Pourquoi pas? ironise Béru. Un facteur c'est un homme comme les autres, après tout.

C'était là un argument convaincant, que Pinaud crut (1).

(1) Qu'on ne cherche pas un jeu de mots approximatif dans cette fin de phrase. Elle m'est venue à la plume au fil de mon inspiration. Comment dirait M. Médecin, député des Alpes-Maritimes : « Oh ! Niçois, qui mal y pense. »

CHAPITRE II

JE N'AI PAS DE *SECRET* POUR VOUS

Quatre jours après cette partie de chasse mémorable qui se solda par l'hécatombe ci-avant décrite, le Vieux me fait appeler dans son burlingue secret. La pièce est triste comme un vieux numéro de la *Revue Boursière,* et le maître des Services paraît aussi joyeux qu'une catastrophe minière.

Il est droit devant son bureau d'acajou lorsque j'entre. Ses poings sont posés à chaque extrémité de son sous-marin et son front relié pleine peau de fesse brille à la lumière de son réflecteur.

Il n'ouvre presque jamais ses fenêtres, sauf quand la femme de service vient passer l'aspirateur. Le reste du temps, pareil à un animal du Vivarium, aux mœurs délicates, il se contente du soleil tarifé par l'Electricité de France.

Sa bouche ressemble à celle d'un lézard. Elle est sans lèvres et on s'attend toujours, quand il l'ouvre, à en voir jaillir une langue fourchue.

Il me regarde pénétrer dans son antre avec des yeux aussi placides que ceux d'un potage Maggi.

— San-Antonio, vous ne devinerez jamais la raison pour laquelle je vous ai mandé !

« Mandé ! » C'est tout lui. Quand il jacte, on se croirait à une réception chez le marquis du Trou-Fignon.

— Je n'en ai pas la moindre idée, chef !

Il sort alors de son tiroir de droite l'étui que j'avais piqué sur la patte du pigeon.

Avec une adresse de jongleur, il le lance en l'air, essaie de le rattraper, n'y parvient pas et regarde tomber le petit tube métallique dans son encrier.

Il l'y repêche avec dextérité, l'ouvre avec non moins de dextérité en le tenant à travers un buvard, et sort le feuillet qui s'y trouvait initialement.

— Savez-vous ce que c'est que ça, San-Antonio ?

— Je reconnais le document, chef, mais j'ignore ce qu'il concerne...

Il masse sa rotonde ivoirine en laissant sur son crâne poli une traînée d'encre du plus bel effet.

— C'est une formule...

— Ah ?

Le Vieux se met à faire du Jean Nohain de la bonne année.

— Oui. Elle concerne un produit que nos savants mettent au point pour parer aux radiations atomiques. La France est sur le point de découvrir, sinon l'antidote de ce fléau, du moins un puissant palliatif... Une personne ayant le derme enduit du produit en question ne souffrira pratiquement pas des méfaits de la radioactivité !

— Pas possible !

— Si.

Bravo ! c'est sensationnel.

— L'invention n'est pas encore au point, mais nos savants sont à la veille d'aboutir...

Je ricane.

— Et déjà la formule s'envole vers d'autres contrées !

— Comme vous le dites ! Sans ce coup de fusil de Pinaud, nous n'en aurions rien su ! Le hasard est grand !

— Il est non seulement grand, il est providentiel, complété-je.

Il y a une minute de silence comme dans toutes les cérémonies d'envergure. Le Vieux tourne dans ses doigts le petit rectangle de papier mince.

— Nos labos ont failli ne pas découvrir le pot aux roses, poursuit-il. Au moment où ils allaient abandonner les recherches, l'un des savants qui travaillent à l'invention est venu ici pour des raisons de service. On lui a montré ceci à tout hasard et il est tombé des nues en reconnaissant l'une de ses formules.

— Le pigeon aussi, murmuré-je. Tout le monde tombe des nues dans cette histoire.

Ma boutade n'est pas du goût du Vieux. Pourtant, c'est de la boutade extra-forte qui pourrait être signée Amora (1).

Le boss s'assied, tire sur ses manchettes, chasse un grain de poussière sur le revers de son veston et enchaîne :

— Cette fuite est d'autant plus surprenante que des précautions sévères ont été prises pour garantir le secret aux savants.

— En France, fais-je, les précautions sévères ne le sont jamais ! Nous ne savons pas être des gardes-chiourme.

(1) C'est une publicité Jean Majeur, le cousin de l'homme qui a failli ne pas avoir le téléphone.

— C'est bien dommage pour nos intérêts, soupire le Vieux.

Il croise ses paluches et fait craquer ses jointures.

— Enfin, essayons pourtant de nous défendre.

— Les recherches ont lieu dans un laboratoire privé, gardé par des policiers en civil. Afin d'éviter — du moins le croyait-on — des fuites, les savants qui travaillent dans ce laboratoire ont consenti à passer à la fouille chaque soir avant de partir. Thibaudin, le professeur à qui on doit la découverte en question, est un maniaque du secret. Il surveille lui-même la fouille de ses collaborateurs... L'opération se passe de la façon suivante : chaque jour en arrivant, les assistants du professeur se déshabillent entièrement et traversent un couloir de verre pour se rendre du vestiaire où ils ont laissé leurs effets à un second vestiaire où ils revêtent des vêtements de travail...

— Bon, ceci est un point.

Le Vieux promène une langue étroite et pâle sur son absence de lèvre.

— Second point, Thibaudin est le seul à connaître les formules de son invention. Celles-ci sont consignées naturellement par écrit pour le cas où il lui arriverait malheur avant la mise au point de l'antidote atomique (auquel il a déjà donné le nom provisoire d'Antiat). Les documents sont enfermés dans un petit coffre mural très perfectionné dont il est le seul à posséder la combinaison... Aucun de ses collaborateurs, même les plus directs, n'est capable de transcrire la formule qui se trouvait sur ce papier... Voilà le problème...

Je me gratte l'occiput.

— C'en est un, en effet !

— Bon ; eh bien ! puisque vous avez levé le lièvre, ou plutôt le pigeon, — très satisfait, il prend un temps pour me faire apprécier la saillie (1) — c'est à vous que je confie le soin d'élucider ce mystère, San-Antonio...

Mince d'honneur. Je lui octroie une courbette à quatre-vingt-dix degrés.

— Le laboratoire a été aménagé dans une grande propriété située près d'Evreux, dans un coin isolé de la forêt... J'ai prévenu Thibaudin, il vous attend avec impatience... Je crois que vous devrez procéder en sou-

(1) Comme on dit dans les haras.

plesse, car il serait maladroit de donner l'éveil au traître...

— Faites-moi confiance, chef!

— Je sais...

Il a un aimable sourire qui en dit long comme Bordeaux-Paris sur l'estime en laquelle il me tient.

Avant de calter, je voudrais lui poser une question délicate. Je crains qu'il ne la prenne en mauvaise part.

— Dites, patron...

— Oui ?

— Avant de démarrer l'enquête, je voudrais me libérer le cerveau d'une vilaine idée qui viendrait à l'esprit de n'importe qui.

Avant que je n'aie fini de parler, il a pigé.

— Thibaudin ?

— Voilà. Je n'ai jamais vu un homme aussi psychologue que vous !

Le compliment tiré à bout portant se traduit sur sa surface corrigée par une vague de rougeur. Il devient plus rouge que les locataires du Kremlin.

— Ecartez carrément Thibaudin de votre liste des suspects. Je le connais depuis longtemps. C'est un grand patriote...

Le voilà qui part dans le panégyrique du

savant. Capitaine d'active au cours de la guerre 14-18, médaille militaire, croix de guerre... Des citations longues comme ma jambe ! La France lui doit des flopées de découvertes utiles, telles que la crème contre le feu du rasoir, et le sérum parabellum contre la maladie des serins, *et cætera, et cætera*... Il a perdu deux fils à la dernière guerre, il a fait de la résistance, il a une Légion d'honneur qui lui descend jusqu'au mollet ; bref, c'est un Grand Français, bien qu'il ne mesure qu'un mètre soixante-cinq. Et puis, argument-massue, s'il avait voulu cloquer sa découverte à une nation étrangère il pouvait le faire sans que personne n'en sache rien avant de ficher son pays dans le coup, pas vrai ? C.Q.F.D., comme on dit au M.R.P., au R.G.R., à la S.F.I.O., au P.M.U. et à l'U.M.P.D.

Je prends congé du Vieux, nanti des renseignements complémentaires. Je fonce dans mon bureau pour y récupérer mon imper, car, dehors, il sauce comme dans la cour d'une caserne de pompiers un jour de grande manœuvre.

Pinuche est en train d'écrire à sa table. Il tourne une ronde agrémentée de petits motifs tout plein zizis. On dirait que ses lettres sont velues.

Devant lui, sont étalées une vingtaine d'étiquettes comportant toutes le mot « COING ».

Je me penche sur son œuvre.

— Tiens, fais-je, tu n'utilises que l'alphabet à poil long ?

Il secoue la tête.

— Ma femme fait ses confitures aujourd'hui... Je prépare les étiquettes pour les pots.

Il pose son porte-plume et se masse le poignet.

— T'as la crampe de l'écrivain, Pinuche ?

— La ronde, ça fatigue, explique-t-il.

Il se lève pour exécuter quelques mouvements de décontraction. Ce faisant, il renverse son encrier sur les étiquettes calligraphiées.

Comme il ne s'est pas aperçu du sinistre, je m'abstiens de le lui signaler ; il est cardiaque sur les bords, et ça me ferait de la peine de le voir mourir !

Je m'aperçois avant de sortir qu'il a boutonné son pantalon suivant une manière qui lui est chère, c'est-à-dire qu'il a fixé le bouton du bas à la boutonnière du haut. Je lui désigne le tunnel ainsi ménagé.

— Ferme ça, Pinuche, il ne faut jamais trop aérer la chambre d'un mort !

Il bougonne en rétablissant l'ordonnance de sa mise.

— A propos de mort, fais-je, il était bon, le pigeon ?

— Non, trop coriace... On l'a donné à la concierge.

— Tu as trop bon cœur, Pinaud ; ta générosité te perdra !

CHAPITRE III

J'ENTRE DANS LE *SECRET*

Apparemment, rien ne signale le laboratoire de Thibaudin à l'attention du promeneur, si ce n'est le nombre de voitures rangées autour de la propriété. On dirait qu'une réception y est organisée en permanence. Et pourtant, ce qui frappe, en second lieu, c'est le silence qui y règne.

La maison est une construction de deux étages, bâtie pour un ancien B.O.F. prétentiard qui a voulu une tour, histoire de se donner des idées de noblesse. C'est fou ce que le blason torturait les gars au siècle dernier. Au point qu'ils souhaitaient tous s'appeler Dupont, afin de se cloquer une particule.

Le bâtiment est niché au milieu d'un parc aux pelouses négligées. Le tout est cerné de murs rébarbatifs. C'est, je pense, ce qui a décidé Thibaudin à y installer son centre de recherches.

Je stoppe ma tire le long du mur et d'un pas allègre je franchis la grille.

Je n'ai pas fait quatre enjambées qu'une voix hargneuse me pétrifie.

— Hep, là-bas !

Je fais volte-face, comme on dit au Fiacre, et je découvre une sorte de vieux parapluie à mine rébarbative.

C'est le gardien. Ancien truand, je vous le répète, ça se voit à sa frime rapiécée comme une vieille chambre à air, à son naze écrasé, à ses étiquettes en haillons et, plus encore, à son regard en virgule.

Je le défrime complaisamment.

— Où allez-vous ? s'informe-t-il en s'avançant vers moi d'une démarche chaloupée.

— J'ai rancart avec le professeur Thibaudin.

Et je produis un laissez-passer en bonne et due forme. Il l'étudie scrupuleusement, comme un général de corps d'armée le fait d'une carte d'état-major avant d'envoyer ses zouaves au casse-pipe. Puis il hoche sa tête sans cou et me fait signe qu'il est d'accord.

Croyez-moi, les meilleurs anges, ce sont les anciens démons. Mordez Vidocq, par exemple. Ancien bagnard, truand patenté... Pedigree à plusieurs feuillets, mais le jour où il s'est mis à en croquer il est devenu chef de la poule ! Voilà comment on fait les bonnes grandes maisons. Le mal par le mal, c'est la thérapeutique reine.

Je philosophe ainsi tout en remontant cavalièrement l'allée, puisqu'il s'agit d'une allée cavalière.

Ensuite j'escalade lestement un perron de quatorze juillet (1) et je me trouve dans un vaste hall carrelé façon échiquier où un autre mironton rêve d'aller à dame en se secouant les couennes sur une chaise dépaillée.

D'après mes calculs (2), ce zouave pontifical est le dernier bastion fortifié avant le burlingue du professeur Thibaudin.

Je produis mon ausweis et il fait un petit mouvement de hure assez gracieux.

— Le professeur, s'il vous plaît, demandé-je en ponctuant ma phrase d'un

(1) Entendez par là qu'il s'agit d'un escalier à double révolution.

(2) Comme dit toujours un de mes amis qui souffre des reins.

aimable sourire qui mériterait la première page de *Ciné-Révélation*.

— On va vous conduire.

Il appuie un index en grand deuil sur un bouton électrique. Quelque part dans la casba, une sonnerie retentit et je vois se radiner une fort gracieuse personne dont le soutien-gorge n'est pas gonflé au gaz de ville.

Elle est blonde platinée, elle porte une blouse blanche, des bas à couture noire, plus à la mode, et son petit air fripon flanquerait des idées salaces à un congrès scientifique.

Elle me regarde, me jauge, m'inspecte, me détaille, m'évalue, me dissèque, me considère, m'apprécie et me prie de la suivre, ce que je fais volontiers en regrettant toutefois que ce soit dans le bureau d'un vieux bonze et non à l'hôtel du *Pou-Nerveux* où la piaule numéro 22 m'est réservée en permanence.

Elle quitte le hall pour emprunter (1) un étroit couloir dont la moquette est usée

(1) Ce genre d'emprunt n'est pas garanti par l'Etat. Comment en serait-il autrement du reste ? Lorsqu'on emprunte un couloir, un chemin ou un escalier, on ne les rend jamais !

jusqu'au plancher. L'endroit n'est éclairé que par une ampoule poussiéreuse qui pend bêtement au bout de son fil, comme une poire d'automne cramponnée à sa branche effeuillée (1).

Avant que nous n'arrivions au bout du corridor, je questionne en prenant ma voix timbrée à vingt francs :

— Vous êtes la secrétaire du professeur ?

— Oui, monsieur, fait-elle.

— C'est un homme qui sait choisir son personnel, apprécié-je.

Elle produit un petit rire qui me va droit au vague à l'âme.

Enhardi, je pousse mon avantage :

— Et, en dehors de vos heures de présence, que faisiez-vous de vos heures d'absence avant de me connaître ?

Elle me file alors le super-regard destiné à liquéfier le bonhomme.

Des coups de périscope pareils, ça vous court-circuite la moelle épinière et le bulbe rachidien.

(1) Je me permets d'attirer votre attention sur la force de cette comparaison et sur la poésie mélancolique qui s'en dégage. Si je me relisais, je crois que je me décernerais le Prix Goncourt, pour une fois ce serait un homme de talent qui l'aurait !

— Je vous attendais, vous voyez, gazouille la pépée.

J'ai idée qu'elle se fait un peu tartir dans cette propriété. Elle en a sa claque, du savant antiatomique. Les cérébraux, c'est chouette dans la *Revue des Deux Mondes,* mais dans un pageot les cours s'effondrent !

Je me promets de la travailler au foie, et ailleurs (1), et je lui file le train dans une grande pièce meublée de classeurs métalliques, d'un bureau métallique aussi et de sièges en tubes.

Ces différents éléments contrastent avec l'architecture rococo des lieux. Il y a des lambris, des moulures et de la moquette usée partout, et même un fauteuil Voltaire déprimant qu'on a oublié là et qui bave son crin dans un angle.

Miss Dunlop me montre ce siège austère.

— Asseyez-vous, je préviens le professeur.

Elle décroche le bignou posé sur le burlingue. Une voix d'homme annonce

(1) Certains esprits chagrins seront sans doute choqués par mes sous-entendus hardis. Je leur rétorquerai que la pudeur est l'apanage des empêchés. Au même titre que la vantardise du reste. Moi je suis l'homme des justes milieux, à condition de pouvoir les choisir.

qu'elle est en ligne. La souris se met alors à parler de moi. Tout en jactant, elle décrit des arabesques avec son valseur pour m'inspirer. C'est le genre de fille qui, comme les girls de Mme Arthur, sait rendre son dos éloquent.

Lorsqu'elle raccroche, elle me distribue pour changer des œillades de cinq cents volts. Ou je me trompe, comme disait le monsieur qui croyait ne pas s'être rasé parce qu'il se regardait dans une brosse à habits, ou mon séjour dans ce laboratoire comportera des compensations de choix.

— Vous êtes la seule femme ici ? demandé-je, mine de rien.

— Oui.

— Eh bien ! dites donc, il doit vous falloir une armure pour circuler, non ?

Elle hausse les épaules d'une manière qui porte préjudice aux habitants de la propriété.

— Vous savez, les occupants de cette maison pensent plus à leur travail qu'aux femmes...

— Les pauvres gens, comme s'il y avait plus important dans la vie que le sourire d'une jolie fille.

Elle me toise d'un œil tout plein gentil.

— Vous semblez singulièrement entreprenant, vous, alors !

— C'est de naissance, j'ai eu pour nourrice la Lollobrigida de l'époque et ça m'a foutu des complexes pour toute ma vie !

Elle rigole. Pas longtemps, car le professeur Thibaudin vient d'entrer. En l'apercevant, je n'ai plus la moindre envie de conter fleurette à la délicieuse enfant blonde. Celle-ci, du reste, s'esbigne sur la pointe des mocassins.

Je me consacre alors à l'examen de Thibaudin. C'est un grand vieillard gris. Quand je dis qu'il est gris, ce n'est pas une image mais une description réelle. Il est grand, maigre, décharné, osseux... Il a la peau grise, les cheveux et la moustache gris, une chemise grise, un costard gris, cravate grise, des souliers gris et, pour se gratter, il se met sûrement de longs gants gris (1).

Il me regarde et je note en passant l'intelligence de son visage. Ce bonhomme-là a quelque chose dans le citron, ça se voit tout de suite.

(1) Bien que ce jeu de mots se suffise à lui-même, je me permets d'attirer votre attention sur lui. Il serait dommage qu'une lecture hâtive vous empêche de savourer une telle prouesse de style.

Je me présente et il m'adresse une petite grimace furtive qu'il croit être un sourire.

— Heureux de vous accueillir ici, commissaire... C'est grâce à vous qu'on a découvert ces fuites, n'est-ce pas ?

— Du moins grâce à l'un de mes subordonnés...

— Cette histoire est insensée. Depuis que je sais cela, je ne vis plus. Vous rendez-vous compte de ce que représente mon invention ?

— Le salut de l'humanité, professeur...

— Du moins une protection certaine... Si ma découverte était connue de ceux qui projettent d'utiliser la bombe — et ils sont, hélas ! de plus en plus nombreux —, ils se hâteraient d'inventer quelque chose qui annihilerait la puissance protectrice de mon produit...

— Vous avez raison, monsieur le professeur. Ce serait catastrophique.

— Grâce au ciel, enchaîne l'homme gris, mon invention n'est pas achevée, on peut donc être certain que le traître qui me pille n'a rien saisi d'irréparable... Du reste, la formule que transportait ce malheureux pigeon concerne ce que j'appellerai la phase A de mes travaux...

Il aborde le vif du sujet. Je commence à me sentir des fourmis aux articulations.

— J'aimerais que vous me montriez les lieux, professeur. Seulement je voudrais demeurer ici incognito afin de ne pas donner l'éveil au traître.

« Ne pouvez-vous pas me charger de fonctions subalternes qui me permettraient de circuler sans me signaler à l'attention de celui-ci ?

Il réfléchit.

— Si. Vous passerez pour un nouveau garçon de laboratoire...

— Attention, je ne suis pas un scientifique... Si vos collaborateurs me posent des colles...

— Ils ne vous en poseront pas. Chacun ici a un travail déterminé et ne s'occupe pas de ce que font les autres...

M'est avis que le père Thibaudin a l'esprit d'organisation. Ça doit être un drôle de juteux dans son job. Un vrai maniaque qui casse les tartines à son monde.

Je ne sourcille pas.

— Très bien, monsieur le professeur, ce sera comme vous voudrez...

— Vous demanderez une blouse blanche à Martine, elle en a un stock !

— Il s'agit de votre secrétaire ?

— Oui. Une fille très sympathique, vous l'avez vue, c'est elle qui vous a introduit ici...

« A charge de revanche », pensé-je.

— Très sympathique, en effet, monsieur le professeur. Puisque vous me parlez de cette jeune fille, abordons la question des suspects. Combien de personnes vous entourent ?

— Cinq, plus ma secrétaire...

Je sors un papier de ma fouille et je cramponne un stylo.

— Nommez-les-moi, je vais faire un petit topo pour m'aider à les situer...

— Eh bien, par ordre d'importance, j'ai les docteurs Minivier et Duraître qui sont mes élèves. J'ai en eux la plus entière confiance...

Je laisse flotter les rubans... La question de confiance, je connais ça mieux qu'un président du Conseil.

— Ensuite ?

— Trois manipulateurs qui ont des diplômes de pharmaciens flambant neufs...

— Et qui se nomment ?

— Berthier, Berger et Planchoni.

— En somme, vous êtes entouré de jeunes ?

— Oui. J'ai foi en la jeunesse. C'est elle qui doit ouvrir la nouvelle route... J'avais deux fils...

Une ombre de tristesse, comme on dit dans les romans pour jeunes vierges en transes, passe sur sa figure. Mais il renonce à me déballer ses malheurs. D'un haussement d'épaules résigné, il rejette le passé dans son dos.

— Vous connaissez au moins ces trois jeunes gens ?

— Ils m'ont été recommandés par des collègues à moi qui furent leurs maîtres.

— Donc, *a priori*, tous sont également dignes de confiance !

— Mais oui, hélas !...

— La secrétaire ?

— Voilà six ans qu'elle est à mon service. Une gentille enfant. Elle n'a pas accès au coffre où sont enfermés les documents...

Il va pour parler encore, mais je l'arrête.

— Attendez, monsieur le professeur, procédons par ordre. Quels sont les travaux de chacun de vos assistants ?

— J'ai démultiplié en quelque sorte mon champ de recherches. Je dois vous dire que mon invention est basée sur l'utilisation de l'énergie solaire. Minivier et Planchoni font un travail d'astronomie selon les directives très précises que je leur donne. Duraître et les deux autres manipulateurs se chargent de l'aspect chimique de la question. Moi, je suis le lien ; le commun dénominateur...

— La nature de leurs travaux respectifs peut-elle amener les uns ou les autres à reconstituer l'ensemble de vos recherches ?

— Absolument pas. Si un élève des Beaux-Arts possédait la palette de Picasso, il ne peindrait pas des toiles de Picasso pour autant, n'est-ce pas ? Ceci pour vous faire comprendre...

— Oui, j'ai compris. Mon chef m'a dit qu'il existait une fouille très sévère ?...

— Ah ! oui. Ce n'est pas une règle absolue, cela concerne les chimistes seulement. Je leur confie certains produits extrêmement rares que j'ai découverts et auxquels je tiens comme à mes yeux. Etant d'un naturel méfiant, j'ai institué cette fouille minutieuse. Ils s'y sont pliés apparemment de bonne grâce, bien que ce soit injurieux au fond !

Tu parles ! Je me demande comment il s'y est pris pour opérer sans que les gars n'aient envie de lui flanquer leurs éprouvettes à travers la terrine.

Je le lui demande, il s'explique.

— Mon cher, la diplomatie est l'art de savoir présenter les choses saumâtres. J'ai pris chacun à part en lui expliquant que je prenais cette précaution à cause des deux autres.

— Bravo !

Il secoue la tête.

— Voilà, c'est tout.

— Ces gens habitent où ?

— Mais ici... Il y a au fond du parc, deux pavillons préfabriqués afin de loger tout le monde, je n'ai pris que les deux garçons libres à dessein, pour pouvoir les garder sous la main...

— La secrétaire ?

— Elle habite dans le pavillon même !

— Et vous aussi, naturellement ?

— Bien sûr... Je dors au-dessus de mon laboratoire.

— Qui s'occupe de votre ménage ?

Il rit pour de bon cette fois.

— Mon ménage ! J'habite une chambre de célibataire et je prends mes repas avec tout le monde au réfectoire... C'est Martine qui se charge de porter mon linge et de le ramener...

— Je vois. Maintenant, si vous voulez me montrer les lieux...

Il hésite.

— Attendez ce soir. Je vous ferai visiter l'installation en détail, ce sera plus facile. En attendant, installez-vous. Martine va s'occuper de vous.

— Avec plaisir, fais-je.

Et croyez-moi, les potes, je suis sincère !

CHAPITRE IV

LE *SECRET* DE PLAIRE

Me voici pris en charge par la môme Martine. Avec un guide commak, je suis partant pour *Paris by night* et la visite des châteaux de la Loire !

On réitère la balade dans les couloirs. Je remarque qu'elle est allée se recoiffer pendant que je discutais le bout de gras avec Thibaudin. De plus, elle a mis un col Claudine par-dessus son pull-over bleu... Elle est bien sanglée dans sa blouse blanche et on suit sa géographie comme si on y était.

— Où allons-nous ? m'enquiers-je, lorsque nous sommes à distance suffisante du bureau directorial.

— A la réserve...

— Méfiez-vous...

— Pourquoi ?

— Je serais capable de sortir de la mienne...

Elle me fait l'hommage d'un sourire pour ce bon mot (1) ; puis, sérieuse soudain, elle demande :

— Alors, vous êtes garçon de laboratoire ?

— Oui, pourquoi, ça vous surprend ?

Elle me coule un regard ardent qui liquéfierait le Mont-Blanc.

— Un peu... Vous ne faites pas du tout garçon de labo.

— Qu'est-ce que je fais, alors, garçon laitier ?

Elle secoue la tête. Son regard est de plus en plus goulu. J'ai idée que son séjour dans cette grande baraque perdue, où la science est souveraine, lui a crédité le pétrousquin d'un gros retard d'affection.

Nous parvenons à la réserve, une grande pièce triste au rez-de-chaussée, en deçà de l'escalier. L'endroit est encombré de caisses non ouvertes et comporte deux vastes placards. Martine en ouvre un et je découvre une pile de linge.

(1) Car, indéniablement, c'en est un, n'est-ce pas ?

— On use beaucoup de blouses ici, dit-elle.

— Ah oui ?

— A la chimie, je ne sais trop ce qu'ils manipulent, mais ils en font une consommation effrénée.

Tout en parlant, elle a pris une blouse qu'elle déplie. J'ôte ma veste et enfile le vêtement de « travail ». Il est trop juste pour moi.

— Vous avez des épaules terrifiantes, admire la donzelle.

— Pas mal, merci.

— Ce que vous devez être fort...

— A votre service...

On essaie le modèle au-dessus. Il me va à peu près. Je m'examine dans un méchant miroir piqué et je constate que je ressemble plus à un masseur qu'à un assistant chimiste.

La fille m'observe d'un œil attentif.

— On dirait que c'est la première fois que vous mettez une blouse, dit-elle. Vous semblez tout surpris...

Décidément, il va falloir que je me méfie de sa sagacité ; elle m'a l'air dégourdoche, la poulette. C'est fou ce que les bergères ont le renifleur aiguisé. Vous croyez leur vendre des salades et elles vous attendent patiemment au virage en ayant l'air de vous prendre pour de pauvres cloches.

Je m'abstiens de répondre à sa question.

Afin de donner le change (1), je m'admire complaisamment.

— Ça ne vous gêne pas sous les bras ? s'informe Martine.

Je lui chope la taille.

— Mais non, mon cœur, vous voyez, j'ai la complète liberté de mes mouvements.

Elle se débat.

— Laissez-moi, si on venait !

— Qui voulez-vous qui vienne ?

— L'un de ces messieurs... C'est ici que sont entreposés les instruments de rechange dont ils ont besoin...

— Y a-t-il un endroit tranquille où l'on ne craint pas d'être surpris ?

Elle hésite. Je lui caresse la joue d'un tendre revers de main.

— Vous y recevriez un monsieur qui vous veut du bien ?

Elle se met à me jouer la scène deux de l'acte trois. Celle qui commence par la

(1) Pour le cours du change, prière de vous reporter à votre baveux habituel.

réplique : « Si vous me promettez d'être sage ! »

Je connais le texte par cœur. Musset s'est cloqué le médius dans l'orbite jusqu'à la clavicule en prétendant qu'on ne badinait pas avec l'amour. On ne fait au contraire que ça dans la vie française.

En conclusion, rendez-vous est pris pour cette nuit. Elle me dit qu'elle a une bouteille de crème de cassis en provenance directe de Dijon, ce qui constitue en soi un prétexte suffisant pour me recevoir nuitamment. J'accepte son aimable invitation en songeant qu'une bouteille de cassis n'a jamais constitué un rempart efficace pour protéger l'honneur d'une dame.

Ensuite elle me conduit à ma propre chambre. C'est une pièce minuscule sous les combles. Vraiment, c'est un comble (1) de loger un crack des Services Secrets dans un endroit pareil. La môme Martine s'en excuse, mais c'est la seule pièce habitable qui soit vacante. Elle ne comporte qu'un méchant lit de fer et un portemanteau. Un palace, vous m'en mettrez deux caisses. J'en ai sec, moi qui suis, vous le savez,

(1) Excusez-moi, il m'a échappé.

claustrophobe sur les bords. C'est le Ritz amer, quoi !

Enfin, j'ouvrirai la tabatière...

Je regarde tour à tour mon lit et Martine, faisant une association d'idées qui lui est très perceptible. Mais visiblement elle craint d'être surprise en flagrant du lit et elle me laisse sur un sourire qui flotte longtemps après son départ dans la pièce exiguë.

Quelques minutes plus tard, c'est la fin du turbin. Dans le grand hall où moisit toujours un vieux mironton de la sourde, le professeur Thibaudin me présente à ses collaborateurs.

Les docteurs Minivier et Duraître sont des garçons d'une quarantaine d'années qui, par un curieux phénomène de mimétisme, se ressemblent étrangement. Cela doit venir de leurs cheveux taillés en brosse et de leur pâleur. Ils manquent d'exercice, c'est certain, Minivier est grand, avec un front bombé et un regard sombre... Duraître a un début de ventre et d'épais sourcils...

Quant aux assistants, ils sont au contraire fortement dissemblables. Berthier est presque obèse. On dirait le bonhomme Michelin, en plus dodu. Il est très jeune, très sale et sa lèvre inférieure pend comme un pétale de lis. Berger est petit, noiraud, agité, inquiet, et pourvu de tics amusants pour son entourage. Son plus marrant consiste à fermer l'œil gauche en même temps qu'il ouvre la bouche et secoue la tête.

Ce cher garçon passerait dans un music-hall, il ferait fortune. Quant au dernier, Planchoni, c'est un cas. Il est long avec une tête aux oreilles décollées qui lui donnent l'air d'un portemanteau. Oui, il ressemble à une patère... A une patère austère (1). Sa blouse flotte sur son squelette comme un drapeau mouillé sur sa hampe.

En bref, les cinq personnages que voilà ne sont pas des don Juan. Leurs yeux ont tous le même reflet fatigué et fiévreux. Ces gars-là bossent trop. On devrait leur acheter un ballon et leur payer une fois la semaine une virouse chez la baronne, rue de la Pompe, la grosse qui tient le plus chouette clandé de Pantruche. Là-bas, y a

(1) Mince, voilà que je parle latin.

un bétail de choix : des demoiselles de la *gentry* pour la plupart qui ne sont pas visibles entre cinq et sept parce qu'elles prennent le thé faubourg Saint-Germain. Même la négresse est fille de roi. Elle est très demandée à cause de ses attributs (1)...

Je serre les louches de ces cinq messieurs. Tous m'octroient un coup d'œil évasif et, sans plus m'attacher d'importance, gagnent leur réfectoire, ce qui est moins intéressant que de gagner à la Loterie Nationale. Je les suis, encadré par Thibaudin et Martine.

Au fond du parc, s'élèvent les constructions dont m'a parlé le prof.

Ce sont deux grands bungalows préfabriqués, assez gentils d'ailleurs. Ils constituent cinq chambres et une salle de séjour avec télé, radio, tourne-disque, cave à liqueurs et sofa accueillant.

Une vague ordonnance, très cavalier Lafleur, fait la tortore et la sert sans trop se soucier des convenances. Le Cul-de-Singe en question n'a jamais appris l'existence du savon, malgré la publicité forcenée que font certaines marques. Il est cracra comme une

(1) Les attributs nègres sont réputés.

poubelle et son accoutrement ferait merveille sur la piste de Médrano.

L'homme porte un pull à col roulé, avec, par-dessus, un gilet de laine. Ses manches sont retroussées et il a des gants en caoutchouc pour protéger ses menottes du contact de l'eau.

Il fume un vieux mégot en servant et n'hésiste pas à tremper son pouce dans les plats pour véhiculer ceux-ci... Je me demande où le professeur a chopé cet épouvantail... Sans doute est-ce son ancienne ordonnance ?

Au menu, il y a bisque de homard aux croûtons... (Conserves Liebig, j'accepte les envois en nature, merci) et du poulet froid conservé trop longtemps au frigo. Ses chairs sont molles. Et l'on entend à peine ses paroles ! Mais la mayonnaise est la plus noble conquête de l'homme après le cheval, même lorsqu'elle est en tube.

On s'expédie les Bresses, plus une salade trop salée... Ajoutez un calandos en plâtre véritable, une banane triste, le tout arrosé de gros rouge, et vous aurez un *bath* gueuleton de cantine d'usine.

L'estom navré, je quitte la table. Ces messieurs se mettent à fumer dans les fauteuils. Duraître se met au piano (J'ai omis de vous dire qu'il y en a un, à queue, comme des langoustes.) et commence à jouer du Chopin comme s'il tenait absolument à faire pleuvoir. Martine, pendant ce récital, me décroche des œillades prometteuses. Elle subit l'envoûtement de la musique ; elle vit l'instant, comme toutes les femmes. Ce sont elles qui assurent la fortune des *Diarée Maréno*, des *Louise-Marianne-Ho* et autres vaselinés de la glotte. Un peu de musique au coin du feu, la fumée d'une cigarette et vous pouvez déballer votre boîte à outils pour brancher les canalisations. C'est gagné... Vive la carte postale en couleurs !

Au bout d'une heure, au cours de laquelle ces messieurs s'emmavamaverdent avec distinction, on donne le signal du couvre-feu.

Le prof, Martine et moi-même, souhaitons un grand bonsoir circulaire et retraversons le parc pour gagner nos bases. En cours de route, on parle du temps qu'il a fait, de celui qu'il fera et de celui qu'il aurait pu faire. Le temps est le plus beau cadeau que le bon Dieu ait fait aux hommes en général, et aux Anglais en particulier. De quoi parlerait-on si nous existions dans un beau fixe perpétuel ? Hein, vous pouvez me le dire ? L'existence ne serait plus possible ! La civilisation ferait faillite. Il y aurait une recrudescence de criminalité. Tandis que, grâce au temps, on use le temps. C'est comme l'amour, on en parle pour se reposer de le faire.

Et tout le monde parle du temps, les grands hommes comme les petits, les grands artistes comme Brigitte Bardot... C'est le sujet universel. Le péché originel de la conversation. Il a ses techniciens : ceux qui trouvent les nuances, ceux qui se réfèrent à des rhumatismes, ceux qui se basent sur les baromètres (les positifs) ou le bulletin de la météo (les chimériques).

Il y a ceux qui lisent les présages dans le couchant ; ceux qui interprètent la face ahurie de la lune, ceux qui croient en leur carte postale qui change de couleur ; ceux dont les cors au pied sont infaillibles et puis les autres... Tous les autres, vous, moi, lui et le voisin d'à côté... qui en parlons pour en parler, parce qu'on ne sait pas quoi dire d'autre... Parce que, depuis des millénaires, depuis les cités lacustres, les Gaulois et Louis-Philippe, l'homme est enfermé entre les frontières de la pluie et du soleil, allant de l'une à l'autre avec un parapluie ou une ombrelle, avec un flacon d'ambre solaire ou un imperméable de chez C.C.C. !

Dans le hall, je remarque que le gardien de jour a laissé place à un gardien de nuit.

L'homme diurne est rentré chez lui, et l'émanation de l'ombre a dressé un lit de camp en travers de la porte conduisant au laboratoire. Il fume une pipe en attendant que nous soyons de retour.

Le professeur répond à son salut et tend la main à sa secrétaire.

— Bonne nuit, Martine...

Il me frappe sur l'épaule.

— Venez donc avec moi, mon cher, je vais vous montrer un peu ce que vous aurez à faire demain...

Je le suis docilement après avoir indiqué à la jeune fille par un regard expressif que notre séparation sera de courte durée.

Au-delà du bureau de Thibaudin se trouve le vestiaire. L'une des parois en est vitrée, ainsi que m'avait prévenu le Vieux, ce qui permet de vérifier si l'un des hommes du laboratoire emporte quelque chose...

Après le vestiaire, c'est le haut lieu, le fin des fins, l'endroit barbare où s'élabore le fruit génial issu du cerveau non moins génial de mon mentor.

Le labo occupe presque la moitié de la maison. On a abattu les cloisons constituant plusieurs pièces, de façon à n'en faire plus qu'une très vaste et on a muré les fenêtres.

Pour pénétrer dans cette salle, il n'est que la porte. Celle-ci est en fer et elle ferme par une serrure spéciale dont Thibaudin est seul à avoir la clé.

Il donne la lumière. Une clarté intense, implacable, aveuglante, éclate, ne laissant subsister aucune ombre.

— Voilà, fait le professeur, c'est ici que ça se passe...

Je jette un regard pivotant sur les ustensiles bizarres qui encombrent cette pièce.

— Ma table de travail est au fond, me dit-il... Les autres disposent du reste...

— Et où se trouve le fameux coffre dans lequel vous logez vos formules ?

— Venez...

Je l'escorte au fond du laboratoire. Il y a au mur une sorte de bassin surmonté d'un réservoir. Sur le bassin, on lit, écrit en caractères imprimés : « EAU DISTILLEE ». Thibaudin tourne l'un des écrous fixant le réservoir contre le mur. Ensuite il tire le réservoir à lui, et j'ai la surprise de voir le récipient pivoter comme une porte, dévoilant ainsi une porte d'acier scellée dans l'épaisseur du mur. La porte est celle d'un coffre. La serrure de celui-ci est à système. Le professeur règle les boutons molletés et la porte s'ouvre, dévoilant une cavité à peine plus grande qu'une boîte à sucre...

— Vous voyez...

J'aperçois quelques paperasses posées dans la niche.

— Je vois... Dites-moi, vous êtes certain d'être le seul à connaître le secret de l'ouverture ?

— Et pour cause, dit-il, je le change tous les jours et personne ne le sait...

Je me gratte le crâne. Cette fois, je suis au cœur d'un sacré mystère. En fait de casse-tête chinetoque, on ne peut dégauchir mieux !

— Comment faites-vous pour vous rappeler la dernière combinaison, si vous en utilisez tellement ?

— J'ai une excellente mémoire...

— En effet. Mais...

— Oui...

— Vous n'avez pas un truc, enfin une sorte de pense-bête ?

Il hoche la tête.

— Si on veut. Pour éviter toute erreur, les jours pairs je me sers de chiffres, et les jours impairs de lettres...

— Ah ! voilà qui restreint quelque peu vos possibilités de confusion.

— N'est-ce pas ?...

— Il y a, je vois, un seul bouton, et vous avez, pour ouvrir, procédé à quatre changements de position...

— Exact...

— Vous ne l'avez jamais ouvert devant vos collaborateurs ?

— Jamais...

— Vous en êtes certain ?

Son regard est soudain mécontent.

— Puisque je vous l'affirme, commissaire !

Je passe la main dans le coffre pour palper le fond de la paroi.

Il sourit.

— Vous croyez qu'on a pratiqué un trou de l'extérieur ?

— Je vérifie...

Le coffre est en acier de quinze millimètres d'épaisseur, coulé d'un bloc... Pour le percer depuis l'extérieur, ce serait un fameux travail, sans compter qu'on devrait pratiquer un trou dans le mur du pavillon...

Un moment de silence s'établit. Je suis dérouté, incommodé aussi. C'est rageant de se retrouver devant un tel problème. En résumé : nous avons la preuve que quelqu'un a ouvert ce coffre, et nous ne comprenons pas comment ce quelqu'un a pu s'y prendre ! Parce que ça paraît impossible.

Préparez ma tartine au phosphore, j'arrive tout de suite !

Je touche le bras du professeur.

— Ecoutez, professeur, nous avons les pieds sur la terre, vous et moi. Il n'existe pas de tour de magie permettant de lire une formule à travers une plaque blindée... Il faut réfléchir avec minutie. Cette formule, lorsque vous l'avez rédigée, vous n'avez pas fait de brouillon ?

Il secoue négativement sa tête grise.

— Non, commissaire. J'ai procédé par tâtonnements. Lorsque mon expérience s'est avérée positive, j'ai écrit sur une feuille de bloc la liste des composants. Je travaillais seul, de nuit. J'ai mis la feuille dans le coffre et j'ai poussé les précautions — car je suis un maniaque du vol, m'étant fait déjà dérober des plans avant la guerre — jusqu'à détruire le bloc sur lequel j'avais écrit.

— Jamais personne n'a travaillé ici de nuit ?

— Jamais... Pour entrer, il faut tirer le lit du gardien, vous l'avez vu... Et il n'y a pas de fenêtres, seulement des conduits d'aération... Voilà pourquoi je suis anéanti. C'est INCROYABLE, commissaire !

— En effet.

Il me regarde. Ses yeux intelligents fouillent le tréfonds de ma pensée.

— Vous, vous avez la possibilité de croire que je mens, ou que ma mémoire a été prise en défaut, ou que j'ai commis une imprudence... Mais moi, je suis certain du contraire, comprenez-vous ?

« Je vous le redis, j'ai une mémoire exceptionnelle. Je pourrais vous réciter par cœur tous les bouquins de chimie et de physique que j'ai potassés jusqu'à ce jour. De plus, je suis d'une prudence maladive... Vous m'entendez, monsieur San-Antonio ? Ma-la-dive. »

C'est la première fois que je le vois

surexcité. Ça ne lui va pas. C'est l'homme du calme souverain... On dirait un vieux gamin en train de faire un caprice.

— Avez-vous parlé à vos collaborateurs de cette formule ?

— Non ! Je vous le répète, ils travaillent exactement comme des ouvriers sur une chaîne de montage. Chacun a ses fonctions... Même s'ils parlent entre eux de leurs travaux, ça ne peut fournir qu'une cohésion insuffisante. *Je suis* ma découverte, comprenez-vous ? Et c'est parce que je croyais en être le détenteur absolu que cette fuite m'a anéanti...

Il s'assied sur un tabouret et me regarde tristement. Soudain, je comprends que c'est un vieil homme fatigué par les travaux. Il ne méritait pas ce coup du sort.

— Refermez le coffre, monsieur le professeur...

Il le referme et se met à titiller le bouton molleté.

— Quel mot de passe venez-vous de choisir ? je demande à brûle-pourpoint.

Il me regarde sans répondre, les lèvres pincées. En effet, il est méfiant, le bougre.

— Vous changerez votre combinaison après, lui dis-je... Je veux me rendre compte de quelque chose. Soyez sans crainte, c'est dans votre intérêt...

Il se détend.

— Le mot que je viens de constituer est Nana.

— C'est charmant...

Il est en train de se demander si je me fous de sa fiole, mais je ne lui laisse pas le temps de cultiver ses complexes.

— Et celui d'hier ?

— C'était un nombre : 1683 !

— Mort de Colbert, fais-je aussitôt...

Il éclate de rire.

— Je n'avais pas songé à cela, mais dites donc, on est fort en histoire dans vos services...

— Simple réminiscence scolaire. Et puis, j'ai toujours eu de la sympathie pour Colbert à cause, je pense, de la dame qui s'était mise à genoux devant lui. Ça frappe l'imagination des enfants. Ensuite ils grandissent et ils mesurent mieux la valeur du geste.

Je l'amuse. Ça crée une heureuse détente...

— Poursuivons la remontée dans le temps, professeur. La combinaison d'avant-hier, s'il vous plaît ?

— HUGO.

— Et celle qui la précédait ?

— OOO1.

— Comme Balzac ?

Il ne pige pas, n'allant jamais au cinoche.

Je me suis livré à ce petit test pour deux raisons, les gars : primo, j'ai voulu m'assurer de la mémoire prétendue infaillible du bonhomme, deuxio, je voulais voir quelle sorte de combinaison il fait. Je m'aperçois qu'il compose des nombres au hasard, mais des mots cohérents. C'est humain, il a dû épuiser au début les dates connues de l'Histoire, seulement il continue à chercher des mots de quatre lettres... Il faudra que je voie ça de plus près.

— Eh bien ! ce sera tout pour l'instant, monsieur Thibaudin, allons nous coucher...

Il hoche la tête.

— Vous avez une idée quelconque sur notre énigme ?

— Pas la moindre. C'est le genre de devinette qu'on trouve avec un certain recul.

Nous quittons le laboratoire. Il ferme la porte à clé et dit au gardien de reprendre sa faction.

Arrivé à son étage, il me tend la main.

— Mon sort est entre vos mains, mon cher ami.

— Ayez confiance, professeur. Il n'existe pas de mystères... Mais des illusions passagères...

Je monte jusqu'à ma carrée, je me donne un coup de peigne et, mes targettes à la pogne, je pars en exploration vers la piaule de la gentille Martine.

Je fais toc-toc à sa porte. Elle demande « qui est làga ? » tout comme la grande vioque du petit chaperon rouquinos, et courageusement j'avoue être le grand méchant loup.

Elle délourde sans plus attendre, au péril de sa vie et je me glisse dans sa carrée.

La petite déesse a noué un *bath* ruban bleu, façon Queen Mary, dans ses tifs, et elle a changé sa tenue de travail contre un pyjama de conception flibustière, qui lui dénude les mollets et dont la veste est une casaque (si j'ose dire) assez ample pour permettre à la main de l'homme de s'y aventurer.

Un délicat abat-jour en soie répand une lumière orangée très tango-dans-vos-bras. J'avise la bouteille de cassis et deux petits verres sur la table.

— Vous avez une chambre ravissante, apprécié-je... Je parie que c'est la seule pièce habitable dans ce pavillon.

— Certainement. Je l'ai arrangée comme j'ai pu, avec les moyens du bord...

— Le Vieux vous défend de loger en ville ?

— C'est un inquiet. Il veut tout son monde à portée de la voix !

Elle me montre un téléphone intérieur installé à la tête de son lit.

— Si je vous disais qu'il lui arrive de m'appeler en pleine nuit pour copier des notes ?

Je dresse l'oreille, façon Pluto.

— Des notes concernant son travail ?

— Enfin, celui de ses aides...

Tout en parlant, elle a empli deux minuscules verres à liqueur de sa fameuse crème de cassis. A dire vrai, je préférerais un coup de gnole, mais comme se plaît à dire Félicie, ma brave femme de mère : « A cheval donné on ne regarde pas la dent. »

Martine me désigne une chaise tapissée de velours grenat. On dirait un prie-Dieu et on a plus envie de s'y agenouiller que de s'y asseoir.

Je saisis le livre qu'elle avait posé dessus

et je lui donne mon postère en guise de remplaçant.

Je bigle le titre du bouquin : « Le Mystère Jeanne d'Arc. » Lecture élevée, est-ce que je serais tombé sur une intellectuelle ? C'est la fin des haricots ! Dès qu'une bonne femme a lu l'*Emile,* elle se prend pour une littéraire et elle vous fait tartir avec Pascal (1), et toute la clique des grands bocaux qui ont perturbé l'intellect des gens au lieu de leur écrire des œuvres divertissantes telles que « J'ai fait mon chemin », ou « Les mémoires d'un suppositoire » ou « Les quenouilles en bâton ».

— Tiens, fais-je, montrant sa vie de Jeanne d'Arc, vous vous intéressez aux grandes pages de l'Histoire ?

— Oh ! non, c'est un bouquin qui se trouvait ici, je n'ai jamais pu aller plus loin que la quinzième page !

A la bonne heure !

— Ça ne vous botte pas, la vie édifiante de notre Sainte nationale ?

— Si, au cinéma, et encore lorsque ce sont les Américains qui ont fait le film.

Elle me plaît, cette souris blonde. Je suis

(1) Lequel, entre nous soit dit, aurait pu garder ses pensées pour lui.

prêt à vous parier un chien de fusil contre un chien de ma chienne, qu'on va devenir une paire de bons camarades, elle et moi.

— En ce qui me concerne, fais-je, tout ce que je sais d'elle, c'est qu'elle était pucelle et combustible...

— Je me demande comment elle a fait pour rester pucelle au milieu de tous ces guerriers !

— Comme vous pour le rester au milieu de tous vos savants !

Elle prend un fou rire carabiné.

— Vous avez vu les binettes qu'ils ont ?

— Oui, ils font un peu sinistre ; sur le plan copain, comment sont-ils ?

— Pff, comme ça... Ils ne pensent qu'à leur travail.

— Sur les cinq, il n'y en a pas un qui ait cherché à vous faire un doigt de cour ?

— Non. Oh ! le gros Berthier me dévore bien du regard, mais ça ne va pas plus loin.

— Avec son bide en ballon de rugby, où voudriez-vous que ça aille ?... Ils ne travaillent pas la nuit, eux ?

— Rarement. Parfois le vieux décide une veillée générale, quand il est sur le point d'avancer dans ses recherches...

— Au fait, ça concerne quoi, ces fameuses recherches ?

Je l'observe à la dérobée, mine de rien. Martine ne sourcille pas. Elle fait un bruit disgracieux avec la bouche.

— Alors là, mystère et boule de gomme ! Ça peut être n'importe quoi, il est muet comme une tombe...

— Les autres le savent ?

— S'ils le savent, ils ne m'en ont pas parlé...

Inutile d'insister ; ou bien elle ignore vraiment tout de la découverte de Thibaudin, ou bien elle est assez fortiche pour la fermer.

Comme je n'ai rien de plus urgent à faire, je la cramponne par une aile et l'invite à s'asseoir sur mes genoux. Elle se laisse aller en douceur et, sans faire de magnes, me colle ses bras autour du cou. Je ne voudrais pas pousser le radioreportage plus loin que la décence ne le permet, afin d'éviter une descente de police, toujours est-il que lorsqu'à vingt-trois heures cinquante-neuf minutes, soixante secondes, les douze coups de minuit dégringolèrent, je savais par cœur ses contours, ses réactions, la façon dont elle appelle sa mère, celle dont elle lui crie de ne pas se déranger, la souplesse de ses reins, sa pigmentation, sa carnation, sa texture, son savoir-faire, sa passivité, ses exigences, les limites de son abandon, son velouté, son duveté, ses facultés antidérapantes, son pouvoir préhensif et compréhensif et ses délicates manières lorsqu'elle effeuille une marguerite, donne des boutons de rose, cultive l'aubépine en branche, met les doigts de pied en bouquet de violettes et se livre au lancement du disque avec une couronne de fleurs d'oranger.

CHAPITRE V

APRÈS LES *SECRETS* D'ALCÔVE...

Quand elle a repris ses esprits et moi mon bénard, nous échangeons quelques baisers et reprenons la conversation.

La petite séance de heurg-heurg-zimboum (1) nous a fatigués et ravis. Franchement, je suis content de nous. Pour un peu, je me pincerais l'oreille pour me le dire. Je ne sais pas si vous êtes comme moi, vous qui n'avez peut-être qu'un point de suspension dans votre slip-kangourou mais, chaque fois que je viens de rendre mes devoirs à une personne du sexe diamétralement opposé au mien, je me sens meilleur. C'est un peu comme si j'avais justifié mon existence vis-à-vis du Créateur...

(1) En français dans le texte.

Je tends la main vers la bouteille de cassis.

— Tu permets, Tendresse ?

Elle me colle un mimi hydraté sur la poitrine. Ça me file une petite secousse agréable qui se répercute dans ma moelle.

— Tu es ici chez toi, fait-elle...

Du coup, je bois à même le goulot.

Ensuite, je vais me vider un verre d'eau fraîche dans le tube pour chasser le sirop...

— Dis, Martine, tu ne trouves pas que c'est sensas, nous deux ?

— Formidable, admet-elle, je n'ai jamais connu un tel bonheur, mon loup !

Le « mon loup » me fait renauder *in petto ;* j'aime pas les petits mots d'amour, ça fait mièvre. Quand une gonzesse me balance des « petits choux », des « grands fous » et autres « lapin joli », j'ai automatiquement envie de lui mettre une baffe dans la poire ; que voulez-vous, c'est physique. Je supporte pas la mièvrerie. L'amour, d'abord, ça ne se dit pas, ça se fait.

— Pff, murmuré-je, tu ne trouves pas que la nuit est lourde ? Si on la pesait, on se rendrait compte qu'elle a pris du poids depuis tout à l'heure. J'ai bien envie d'aller faire un tour...

— Alors tu auras droit aux questions du gardien de nuit. Il ne peut pas supporter qu'on prenne l'air après le couvre-feu !

— Espère un peu, je lui dirai deux mots...

Je vais sortir lorsqu'une question me vient à l'esprit.

— A qui sont les voitures de l'entrée ?

— Mais, aux collaborateurs du Vieux, et il y a aussi la sienne.

— Ils ne vont jamais faire un viron la nuit, hors de la propriété ?

— Non. Ils ne s'en vont que pour le week-end, comme moi...

— Paris, je crois, ou les environs...

Ne voulant plus pousser l'interrogatoire après les merveilleux instants que nous venons de savourer, je la quitte sur un ultime mimi qui couperait la respiration à un spécialiste de la pêche sous-marine.

Le gardien de nuit n'est pas une sentinelle bidon. J'ai beau faire molo, ma présence le fait se dresser sur son lit de camp. Il me braque dans le portrait le faisceau d'une formidable torche électrique.

— Qui va là ? demande-t-il, suivant la plus pure tradition.

— Baissez votre calbombe, mon vieux, je rétorque, vous allez me causer un décollement de la rétine...

Il n'obéit pas pour autant. Il se lève et va actionner le commutateur. Son regard méfiant me jauge sans aménité.

— Où allez-vous ?

— Faire un tour dans le parc. J'ai une piaule de deux mètres carrés, faut que j'ouvre la porte pour enfiler ma veste, c'est vous dire... Moi qui ai tellement besoin d'oxygène pour subsister.

Mon baratin ne l'émeut pas. Ce gnafron-là a une figue sèche à la place du cerveau. Il ricane à tout hasard parce qu'il a vu que ça se faisait dans les productions de Hollywood.

— Vous savez ici, c'est un lieu de recherches, pas un terrain de promenade.

— Voulez-vous dire que moi, l'assistant du professeur Thibaudin, je n'ai pas le droit de me balader dans le parc ?

— Ce que je veux dire, c'est qu'on m'a mis ici pour voir si tout était normal. Et je ne trouve pas normal qu'un employé se promène à des heures *induses*.

— Alors, écrivez à vos supérieurs un rapport circonstancié, mon petit, et cessez de me courir sur le grand zygomatique parce qu'alors je commence à voir rouge, n'étant pas daltonien, et je vous fais bouffer votre cravate sans boire.

Sur ce, sans plus m'occuper de lui, je tire le verrou de la porte d'entrée et je calte dans la touffeur de la nuit où flottent les parfums d'asphodèle.

Je mets le cap sur les bâtiments préfabriqués. Je voudrais me rendre compte *de visu* si tout est O.K. de ce côté. Ces cinq messieurs sont l'X majuscule de l'affaire. Pas de doute, je vous parie un coq au vin de messe que l'espion (J'appelle un chat un chat comme disait Casanova.) se trouve parmi ces cinq personnages...

Tout en remontant le sentier herbu qui va du pavillon à ces annexes, je prends les mesures de la situation. Celui qui a chouravé la formule s'est servi d'un pigeon pour l'adresser à qui de droit. Pourquoi utiliser un mode de transport aussi périmé ? Hein ? Eh bien ! je vais vous le dire, bande de constipés des cellules... C'est parce qu'il était pressé, parce qu'il ne voulait pas sortir de l'enceinte de la propriété. Conclusion, il y a eu et il y a peut-être encore des pigeons voyageurs dans les environs...

Où ces bestiaux peuvent-ils être planqués ? Un pigeon ne passe pas inaperçu : il fait du ram-dam avec ses roucoulanches... Donc, le colombier improvisé est éloigné des bâtiments...

Je fais le tour du parc, prêtant l'oreille pour étudier les multiples bruissements de la noye ; mais je ne perçois pas plus de roucoulades que de symphonies de Beethoven dans les couloirs du métro. En fait de volaille, je ne perçois qu'un rossignol qui s'égosille sous les frais ombrages...

J'arpente le parc une fois encore, m'arrêtant au pied de chaque arbre, mais c'est négatif... Maussade, je regagne ma chambre. En passant, le gardien, dont la rage fait peine à voir, me fustige d'un ton peu amène :

— Tout de même !

Je lui souris tendrement.

— Vous devriez vous méfier, mon vieux, je parie que vous prenez une encolure de chemise de deux numéros trop faible. Vous êtes tout rouge. Un de ces jours, vous claquerez étouffé et on mettra ça sur le compte de l'apoplexie.

Il crache un : « Faites pas trop le malin » qui donnerait des maux de tête à un éléphant. Je n'en ai cure (1).

Sur un salut plein de grâce et de désinvolture, je prends congé du bouledogue.

Ma chambrette d'amour paraît encore plus petite à la lumière électrique ; il y règne une chaleur étouffante (2).

Je me dépoile entièrement, j'ouvre en grand le vasistas (3) et je fume la suprême gitane de la journée, le buste émergeant du toit.

A cette hauteur, il fait doux. Un vent léger comme une main de masseur caresse les frondaisons du parc. Le ciel est, comme dirait un écrivain sans imagination mais épris de poésie, « clouté d'étoiles », pourtant on ne voit pas la lune. Elle est partie sans laisser d'adresse, ou peut-être est-elle

(1) Expression qui vient de Vichy.

(2) A notre époque où le monde achève de se déroitiser, le chaud, le froid, une grande animation sont les rares éléments qui puissent encore régner. Ceux qui seraient contristés par cet état de chose n'ont qu'à téléphoner pour tous renseignements à DANTON 17-89.

(3) Mot allemand signifiant « *qué zaco* ».

allée acheter des croissants dans son premier quartier ?

J'achève ma sèche à regret, mais je décide de ne pas m'en octroyer une autre. Allez, au dodo !

Comme je m'apprête à refermer le vasistas, mon attention est attirée par une forme blanche que je distingue à travers une trouée des arbres, sur la droite du parc. Cette forme est celle d'un homme qu'il m'est absolument impossible d'identifier, *because* l'obscurité et l'éloignement. Le quidam en question vient de franchir le mur de la propriété, sans doute se dirige-t-il maintenant vers les annexes ?

N'écoutant que ma curiosité, je me refringue en hâte et en civil, et voilà votre San-Antonio bien-aimé qui s'élance dans l'escalier pour la seconde fois.

Du coup, lorsque le matuche de nuit me voit radiner, il pense tomber mort de fureur.

— C'est pas fini, la comédie ! s'étouffe-t-il.

— Impossible de pioncer, lui fais-je, j'ai perdu ma Clé des Songes. Je l'avais mise dans le tiroir de mes bretelles, mais quelqu'un l'avait laissé ouvert et en me penchant pour me relacer mes pompes, vous comprenez ?

Il me saute sur le colbak et me queute par le revers.

— En voilà assez, remontez vous coucher et tâchez de...

C'est un intransigeant.

Pensant qu'on peut lui faire confiance, je lui dévoile mon identité. Je préfère lui montrer ma carte pour le calmer plutôt que de le laisser ameuter la cahute !

Il se flanque alors au garde-à-vous.

— Si j'avais pu penser, monsieur le commissaire !

Je mets mon index à la verticale devant mes labiales.

— Chut ! Interdiction de parler de ma véritable identité à qui que ce soit, compris ? Pas même à vos collègues, sinon c'est la révocation pure et simple, compris ?

— Vous avez ma parole, monsieur le...

— Suffit ! Vous n'êtes pas Nantais ?

— Non, pourquoi ?

Je hausse les épaules sans répondre. Mais pour moi, je me dis que s'il avait été

Nantais et que je le fasse virer, c'eût été la révocation de l'édile de Nantes (1).

Je retrouve le parc, avec son ombre dense et capiteuse, son silence de cathédrale et sa forte odeur d'humus. Je bombe à l'allure d'une fusée téléguidée jusqu'aux bâtiments des assistants et je sonde leurs façades en espérant y trouver de la lumière. Mais tout est obscur, tout est silencieux, tout dort...

Alors je me dirige vers l'endroit où j'ai vu l'homme franchir le mur. A cet endroit, la muraille est à demi éboulée, ce qui constitue une brèche facile à enjamber. Je passe de l'autre côté et je me trouve dans un autre parc, beaucoup plus touffu que le nôtre. Visiblement c'est celui d'une propriété en friche.

A partir de la brèche, il y a, non pas un sentier, mais une sente produite par le passage répété de quelqu'un à travers les fourrés... Je suis ce chemin sinueux et j'arrive devant une espèce de grand hangar couvert de chaume. La construction est à

(1) Si vous les trouvez trop idiots, ne lisez pas les renvois en bas de page, ou bien entre deux de mes chapitres, farcissez-vous « L'Annonce faite à Marie » ou le « Soulier de satin ».

demi effondrée. Le toit pend d'un côté comme l'aile cassée d'un canard. A travers une éclaircie des arbres, je vois une immense demeure, style Grand Trianon, qui semble aussi déserte que la mémoire d'un ministre.

Cette vaste propriété désertée a quelque chose d'angoissant, de tragique même. Il y a beaucoup de châteaux qui meurent en France... Lorsqu'ils sont près des agglomérations, on construit des H.B.M. autour, histoire de leur montrer qu'il est des époques révolues et que le peuple s'est emparé des Tuileries une fois pour toutes ! Mais quand leur situation géographique les rend inintéressants, ils clabotent, comme celui-ci. Et, comme l'a dit Henri Béraud, la pierre reste longtemps au pied du mur qui l'a portée !

Je commence à me diriger vers le château lorsque mon attention est sollicitée par un bruit menu que j'ai de la peine à identifier sur le moment. Je me rends compte que c'est celui que font des oiseaux dans une volière ; il ne s'agit pas de chant, simplement des frottements de pattes et des petits claquements d'ailes !

J'en ai un transport d'allégresse (1). Ou je suis un sous-multiple de zéro, ou je viens de mettre le nez sur le colombier que je cherchais tout à l'heure.

Cette fois, je pige. Pas gland, le zouave aux pigeons. Il a placé la cage en deçà des limites du parc.

Je prends ma lampe électrique et je m'approche du hangar en ruine. Je me guide au bruit. Je finis par découvrir, entre un éboulis du toit et le mur du fond, une grande caisse grillagée dans laquelle habitent deux pigeons. Ma lampe électrac m'apprend qu'on vient de leur apporter du grain et d'emplir leur abreuvoir de zinc. Le patron de ces animaux les alimente de nuit. Et c'est également de nuit qu'il les lâche, sans nul doute...

Eveillés par la lumière de ma lampe, les pigeons se mettent à roucouler comme des perdus.

— Faites dodo, mes amours, leur dis-je... Ne vous tracassez pas, je suis votre ami.

Sur ces paroles intraduisibles en pigeon,

(1) Ce qui est préférable à un transport au cerveau, mais moins rentable qu'un transport en commun.

je me casse, heureux de ma découverte, et mijotant un tour de ma façon.

Maintenant, il est deux heures du matin. Pour réussir mon petit coup, je ne dois pas perdre de temps.

Je quitte la propriété et vais récupérer ma tire près de l'entrée. Je la sors à la main et, lorsque je me trouve à bonne distance, je démarre.

Direction : Evreux...

Il me faut vingt minutes pour y arriver. Je cherche le poste de police de la ville, parce qu'à ces heures c'est l'un des rares endroits d'où je puisse téléphoner. L'ayant trouvé, je me présente au brigadier de garde et je lui demande de m'appeler Paris.

En quelques minutes, j'obtiens la permanence des Services. Chose curieuse, le Vieux n'est pas là. Pourtant il ne s'absente jamais et j'avais toujours pensé qu'il ne sortirait de son burlingue que pour se faire conduire au Père-Lachaise.

Je demande au standardiste de le sonner chez lui *illico* et de lui dire d'appeler le commissarait d'Evreux dans les plus brefs délais.

Je raccroche et j'offre aux bignolons de garde une tournée de gitanes en leur demandant s'ils n'ont pas un petit coup de rhum en réserve. Le cassis de la môme Martine m'a poissé le tube et j'ai grand besoin d'un décapant.

On me file une boutanche de Négrita dont j'use abondamment. Ces messieurs sont aux petits soins pour ma pomme. On parle boulot. Je leur dis que je suis sur une piste de trafiquants d'armes pour abreuver leur curiosité... Et le bigophone fait entendre son hymne grelottant.

— C'est pour vous, annonce le brigadoche.

En effet, j'ai le Vieux au tube.

— Ah ! c'est vous, San-Antonio...

— Oui. Patron, il me faut avant la fin de la nuit deux pigeons voyageurs...

Bien qu'il soit prêt à tout, il est un peu éberlué.

— Deux pigeons ?

— Oui. Mais envoyez-m'en une douzaine variée afin que je choisisse dans le tas, il s'agit de remplacer deux autres pigeons, vous saisissez ?

Il pige très bien.

— Oh ! oui, merveilleuse idée, San-Antonio... Vous avez trouvé le nid ?

— Oui. Naturellement, les bestioles que vous me remettrez devront rejoindre une base à nous, une fois lâchées...

— Ça va de soi (1) !

— D'ici à combien de temps pensez-vous que je puisse avoir ces zoziaux ?

Il réfléchit.

— Dans trois heures, ça va ?

— Au poil. Vous direz à celui qui les apportera de m'attendre à l'embranchement de la route menant au pavillon. Ou plutôt, c'est moi qui l'attendrai, vu ?

— Vu.

— Autre chose, patron, avez-vous fait faire une enquête sur le personnel du monsieur que vous savez ?

— Naturellement !

— Rien d'intéressant de ce côté ?

— Négatif sur toute la ligne, ces gens semblent mener une vie très normale.

— Bon, merci... A bientôt, patron, excusez-moi de vous déranger au milieu de la nuit, mais ça urgeait.

(1) Comme on dit à Lyon.

— On ne me dérange jamais lorsqu'il s'agit du travail, San-Antonio !

Et rrran-rrran-rrran ! Fermez le ban !

Il a trouvé le moyen de se gargariser un brin au passage.

— Bonne fin de nuit, chef.

Je raccroche.

Les bourdilles du guet sont médusés. Mon histoire de pigeons les laisse sur le prose. Le brigadier, un gros sanguin, me regarde en rigolant.

— Des pigeons, fait-il...

— Oui, dis-je, des pigeons...

— Des vrais ?

— D'authentiques...

— Pour quoi faire ?

— J'ai une boîte de petits pois dans mes bagages, je voudrais l'utiliser...

Il n'est pas content de ma plaisanterie ; pourtant, impressionné par mon titre, il n'ose montrer sa mauvaise humeur.

Je leur serre la cuillère à tous et je m'esbigne.

CHAPITRE VI

... LA BOTTE *SECRÈTE*

La province, la nuit... Quoi de plus mélancolique, de plus envoûtant aussi ?

Assis à mon volant, je regarde ces vieilles maisons silencieuses, ces édifices d'un autre âge, ces petites rues furtives aux pavés inégaux et je pense qu'il doit faire bon être épicier dans ce coin... Epicier ou n'importe quoi... Mais mener une vie tranquille dans des habitudes routinières... Dire bonjour aux voisins, suivre les défilés de la clique... Assister au banquet pour l'anniversaire du maire. Discuter de la construction des nouveaux lavoirs et se mettre sur son trente et un pour aller au cinéma...

Je me demande si, au fond, ça n'est pas ça, la vraie richesse, la vraie vie... Notre durée limitée exige ce train-train végétatif... Avons-nous le droit d'user notre sursis à de folles équipées au lieu de le savourer délicatement ?

Je retraverse la ville et prends le chemin du retour. Parvenu à la bifurcation, je remise mon baquet sur le bord du fossé, je mets mon feu de position et je fais basculer le dossier de mon siège afin de pouvoir en écraser. Le sommeil commence à me gagner pour de bon et j'ai idée qu'une ronflette ne me fera pas de mal.

Il ne me faut pas longtemps pour sombrer dans les vapes. Je me mets à rêver que je suis à cheval sur un gros pigeon et que je cherche à saisir Martine par sa jupe, tandis que le professeur Thibaudin me poursuit avec une seringue. Vous le voyez, c'est du cauchemar d'actualité.

Je ne sais combien de temps je pionce. Soudain, quelqu'un frappe à ma vitre... Je me soulève et j'aperçois Magnin, un type de nos services. Il rigole derrière ma vitre embuée.

J'ouvre la portière. La nuit a fraîchi. Une bouffée froide me saute dessus. Je me sens frileux et une vague nausée me tortille l'estom. C'est ce sacré cassis.

Magnin me salue d'un joyeux :

— Alors, patron, bien roupillé ?

Je fais quelques pas sur la route.

— J'ai mal aux cheveux, fils... Tu n'aurais pas un flacon de raide dans ta voiture ?

— Non, je n'ai que des pigeons et ils font un boucan du diable !

Ça me ramène au sens de la réalité.

— Bon, amène-toi, je file devant, tu me suis...

Nous récupérons nos véhicules respectifs et, l'un derrière l'autre, nous prenons le chemin du pavillon. Mais avant d'arriver en vue du laboratoire, j'oblique sur la droite et je stoppe devant l'immense grille rouillée du château abandonné.

Magnin sort une malle d'osier emplie de battements d'ailes.

Je l'aide à la coltiner jusqu'au hangar. Parvenus là, nous cherchons dans son cheptel deux pigeons ressemblant aux deux qui sont en pension ici. Lorsque nous avons fait notre sélection, nous remplaçons les uns par les autres et le tour est joué.

Je lie un morceau de fil aux pattes des deux pensionnaires précédents.

— Tu diras au Vieux qu'on les soigne bien, ces deux-là, recommandé-je à Magnin.

— Soyez sans crainte, patron...

Nous retournons à nos voitures et chacun prend une direction opposée à l'autre.

Je me zone avec la satisfaction du devoir accompli. En agissant comme je viens de le faire, j'ai paré à tout nouveau risque de fuite. En effet, vous n'ignorez pas qu'un pigeon voyageur a une base. D'où que vous le larguiez, il la regagne... Si l'espion du laboratoire confie un nouveau message à l'un des deux pigeons du hangar, celui-ci le portera *illico* à nos services. C'était simple mais il fallait y penser.

Cette fois, c'est le vrai dodo... J'en écrase jusqu'à huit plombes le lendemain.

La première personne que j'aperçois en sortant de ma carrée, c'est — vous l'avez parié ! — ma petite pétroleuse. Elle s'est réussi une coiffure *wonderful* et arbore, sous sa blouse non boutonnée, une robe de velours beige dont le décolleté rendrait dingue l'archevêque de Canterbury. Nature elle venait à la relance, cette petite goulue !

Je lui dis : « Entrez donc : vous êtes chez vous » et je lui prouve en deux temps et un peu plus de trois mouvements que tout corps plongé dans un liquide reçoit une poussée de bas en haut égale au poids du liquide déplacé...

C'est du rapide, quelque chose dans le genre du coup de clairon matinal.

Mais ça donne une orientation à la vie.

The main *in the* main, nous descendons pour le petit déjeuner... Ce qui est poilant, c'est de traverser tout le parc pour aller avaler une tasse de caoua !

Tout le monde est là lorsque nous arrivons. Thibaudin donne des instructions aux deux toubibs. Les trois assistants nous regardent entrer avec un petit air ironique. Sans doute, trouvent-ils que la secrétaire du Vieux et moi faisons bon ménage...

Je salue mon monde avec la courtoisie qui fait mon charme, et je m'attable.

Ça fait un drôle d'effet de cohabiter avec un espion. Nous sommes huit dans cette grande pièce... Sur les huit, l'un est le traître, l'autre le flic et un troisième, en l'occurrence Thibaudin, constitue le destin. C'est lui qui a créé le problème... Oui, étrange situation à la vérité.

Par-dessus mon bol de café, je regarde tout le monde... Lequel des six est l'homme que j'ai vu de ma lucarne ! Ce n'est pas Martine à coup sûr, il lui était impossible de sortir du pavillon sans attirer l'attention du sévère veilleur. Alors qui ? Je tâche de me rappeler la silhouette confuse... Si au moins il avait fait clair de lune... Je ne crois pas non plus qu'il s'agisse de Berthier, il est trop gros pour franchir un mur... Et puis, je crois que je l'aurais reconnu...

Bon, c'est l'un des quatre autres... Il leur est aisé de sortir la nuit sans donner l'éveil... Leurs chambres sont toutes au rez-de-chaussée puisque les constructions n'ont pas d'étage...

Ils n'ont qu'à sauter leurs fenêtres...

Il faut attendre...

La journée s'écoule sans le moindre incident. Chacun boulonne dans sa petite sphère et je donne le change en trimbalant des paperasses d'un air grave et compassé, sans oublier de faire du pince-mi et pince-moi à Martine chaque fois que je la croise dans un couloir...

J'attends la prochaine nuit avec impatience, car je suppose qu'alors l'homme aux pigeons ira soigner ses bestioles. Je me propose de faire le vingt-deux dans les parages car je donnerais le foie de mon propriétaire pour pouvoir identifier l'individu en question...

Les heures me paraissent interminables. Il y a le repas de midi... Calme plat. Cette équipe de savants me rend mélancolique... Ces gens-là sont soucieux comme des pingouins. C'est pas marrant de coexister avec eux. Ma parole, s'ils se mariaient, leurs nanas ne l'auraient pas belle. Ce serait ou la grosse crise de neurasthénie, ou les galipettes avec un rigolo du quartier.

Enfin le soir radine à pas de loup. Une ombre complice (1) s'étale en tapis noir sous les frondaisons.

Après le souper, la Martine jolie me file son œillade 17 *bis*, modifiée par l'arrêté du 3 avril dernier. Je lui réponds par un regard en cinémascope-couleur... Très emmouscaillé, le petit San-Antonio radieux. C'est toujours idiot de décevoir une dame. La

(1) Les romans policiers ont ceci de commun avec les romans d'amour, c'est que l'ombre y est toujours complice.

jolie poupée que voilà s'apprête à se faire reluire par mes bons soins, et moi, grosse truffe, je vais être obligé de lui dire « pas ce soir », comme une femme adultère à son époux.

Comme la veille, Thibaudin, sa secrétaire et moi rejoignons notre base après avoir tortoré un « velouté aux champignons » (conserves Liebig, je vous le répète, à ne pas confondre avec Cocorico, le potage qui a vraiment le goût de la merluche) et un bœuf gros sel.

Cette fois, il y a clair de lune, comme dans Werther, et tous les espoirs me sont permis.

Séparation dans le hall. Le vieux s'enferme dans sa carrée. Nous continuons notre ascension, la *pin-up* et Bibi... Elle commence déjà à écrire ses Mémoires avec sa chute de reins en grimpant l'escadrin. Je glisse une paluche ascendante sous ses jupes et la voilà qui se met à rigoler sous prétexte que ça la chatouille.

Parvenue devant sa niche, elle délourde, entre, donne la lumière et m'attend.

Au lieu de franchir le seuil, je la biche par une aile et lui décerne le premier prix de patinage linguistique, avec mention spéciale du jury. Elle croit que le jour de gloire est arrivé, mais je la détrompe gentiment.

— A demain, mon ange, j'espère que tu viendras me réveiller, comme hier ?

Elle n'ose pas présenter ses revendications avant d'en avoir parlé à son syndicat et referme sa lourde avec humeur.

Je m'éloigne, pose mes nougats, et redescends en souplesse en utilisant la rampe comme moyen de locomotion.

Le gardien de nuit est médusé. Il trouve ces façons peu compatibles avec mes fonctions et me le fait savoir par un regard sévère.

Je me rechausse.

— Si par hasard quelqu'un me cherchait, dis-je, n'oubliez pas de me prévenir en rentrant.

Il a un signe d'approbation.

— Entendu.

Je cours à la brèche, je la franchis et me tapis dans un fourré tout contre le mur en priant ardemment le ciel pour que je ne sois pas assis sur une fourmilière.

Maintenant, il ne me reste plus qu'à attendre le passage du mec qui ira soigner ses pigeons. Décidément, toute l'affaire tourne autour de ces volatiles.

Si au moins je pouvais fumer ! Mais va te faire voir, c'est le cas de le dire. Rien n'attire autant l'attention, la nuit, que le rougeoiement d'une cigarette.

Je prends mon mal en patience, je m'exhorte au calme, je ronge mon frein, je trompe le temps, je poireaute, je fais le pied de grue (assis), je croupis (1)...

Et les heures de couler lentement, comme un flot de goudron... Pour comble de bonheur, v'là que des nuages malades se mettent à obscurcir les nues. La lune se dilue dans de la grisaille, tel un comprimé d'aspirine.

J'attends toujours. La pluie commence à tomber, j'attends encore ! Qu'est-ce qu'il fout, le colombophile ! Il ne leur porte pas de la croustance à ses zoziaux, cette nuit ? Après tout, peut-être qu'il ne les nourrit que tous les deux jours... A moins qu'un événement indépendant de sa volonté ne l'empêche de sortir de sa chambre ?

Je patiente encore une paire d'heures. Lorsque la demie de trois plombes retentit au beffroi de ma montre, je décide de

(1) Si vous trouvez d'autres expressions non répertoriées dans cet ouvrage, adressez-les-moi sous pli fermé timbré à 40 centimes. Merci.

laisser tomber. Mes fringues sont trempées et je claque des ratiches comme un couple de squelettes qui danseraient la *Danse Macabre* sur une banquise. Si je moisis encore une heure, je suis bonnard pour la congestion ou la pneumonie ! A moi la pénicilline !

Je me lève et exécute quelques mouvements désordonnés, manière de rétablir la circulation. Je m'apprête à retourner dans ma soupente, mais je me dis qu'après tout, je pourrais aller jeter un coup d'œil aux pigeons.

Je fonce donc en direction du hangar effondré.

Ça roucoule à mon approche !

Je vais à la caisse grillagée et je plonge à l'intérieur le pinceau lumineux de ma Wonder : j'ai un sursaut, les mecs. *Il ne reste plus qu'un pigeon dans la cage !*

Pour une surprise, c'en est une ! Mon gars est venu dans la journée... Il a câblé un message... Et moi, j'étais icigo. Ce salaud-là a agi exactement comme si San-Antonio n'existait pas.

J'ai beau savoir que son message arrivera à nos services, je suis en renaud de m'être laissé feinter !

Dites, heureusement que j'ai pris mes précautions !

La flotte se met à lancequiner pour de bon. Je rentre tout crotté au pavillon.

CHAPITRE VII

LES RESSORTS *SECRETS*

Parvenu dans ma piaule, je me déloque afin de me sécher, puis je passe un beau pyjama et je repars en expédition.

J'arrive devant la chambre de Martine. Je me mets à gratter le panneau de la porte pour l'éveiller. Au bout d'un instant de ce manège, un rai de lumière filtre sous sa lourde. Elle a reconnu ma façon de frapper, car elle ouvre sans demander à qui elle a affaire.

— A ces heures ? demande-t-elle.

Je l'enlace.

— Figure-toi, Douceur extrême, que je rêvais de toi... J'ai voulu joindre la réalité au songe... Trop souvent, quand on sort d'un rêve, on est effroyablement déçu ; pour une fois que la réalité peut surenchérir...

Un tel langage attendrirait le cœur d'une statue de bronze. Il va droit à celui de Martine, et cette étape franchie, gagne d'autres endroits aussi sensibles de son académie.

Cette académie-là, croyez-moi, c'est du billard. Une *académie* qui donne la *faculté* de passer un bon moment (1).

Une gigantesque partie de *papa, maman, l'abonné et moi* s'organise, avec buffet froid, défilé en musique et chants choraux par les enfants des écoles.

Je lui joue « L'Enlèvement de Proserpine », « La Chevauchée fantastique », « La fée Carambole », « Recto-Verso » et « Sans bourse délier » une œuvrette de mon cru.

Elle en devient dingue, elle crie « bis », et je remets le couvert jusqu'à plus soif.

Ensuite, je profite de son état vaguement comateux pour lui poser des questions. Vous le savez, avec moi le turbin ne perd jamais ses droits.

— Dis donc, chérie, après le repas de midi, nous avons pris le café chez les assistants, n'est-ce pas ?

(1) Quelle virtuosité !

— Mais oui, mon grand fou !

Grand fou ! Qu'elle ne recommence pas, sinon elle a droit à une dégustation de phalanges.

— Te souviens-tu si l'un de nous s'est absenté pendant ce temps ?

Elle hausse un sourcil.

— En voilà une question, pourquoi me demandes-tu ça ?

Pour couper court et me donner le temps de trouver une explication, je fais :

— Je te dirai après...

Elle réfléchit.

— Ben, le vieux est parti avant tout le monde, je crois, non ?

Ça m'agace...

— Oui, je me rappelle, mais en dehors de lui ?

— Planchoni est allé chercher des cigares dans sa chambre.

— Il ne s'est pas arrêté... Qui d'autre encore est sorti ?

Elle fouille sa mémoire sans résultat.

— Personne d'autre, il me semble.

Je passe mes souvenirs en revue, de mon côté, et je ne trouve rien non plus... Donc, ça n'est pas pendant le repas qu'il y a eu le lâcher de pigeon... Sans doute cela a-t-il eu lieu le matin ? Oui, sûrement...

— Pourquoi me demandes-tu cela, chéri ?

— Pour rien...

— Méchant, tu m'avais dit !

Ah non ! Elle va pas jouer les tyrans, cette péteuse !

Je saute du lit.

— Dors bien, trésor, et à demain...

Le lendemain, à sept plombes, le gardien de nuit vient tabasser à ma porte.

— Téléphone, me lance-t-il, on vous demande de Paris...

Il m'apprend qu'il y a deux postes téléphoniques dans la *strass :* l'un dans le bureau du Vieux, et l'autre dans la réserve. C'est à ce dernier endroit que je me rends.

Je chope le combiné, le cœur battant. Sans doute est-ce le Vieux qui m'appelle ? Et re-sans doute va-t-il m'apprendre du nouveau ?

— Allô ?

— C'est vous, San-A. ?

— Oui.

— Arrivez immédiatement !

— Est-ce que le...

Il beugle dans l'appareil :

— Pas un mot ! Rentrez !

Et il raccroche.

C'est la première fois qu'il me parle sur ce ton. Qu'est-ce que ça veut dire ? Je reste avec le combiné à la main, complètement abasourdi...

Pourquoi m'a-t-il crié de la fermer ? Parce qu'il redoutait que je parle ? Oui, c'est sûrement ça...

Je monte faire ma toilette et je me nippe. Ceci fait, je vais frapper à la porte du professeur Thibaudin.

Il est déjà prêt. Il y a une épingle à cravate en or piquée dans sa cravate... On dirait qu'il va rendre visite au pape. Mais il passe une blouse blanche.

— J'ai entendu le téléphone, me dit-il, c'était pour vous ?

— Oui, professeur, mon chef... Il me demande de rentrer ce matin...

— Oh ! Oh ! du nouveau ?

— Je l'ignore...

— Et, de votre côté, vous avez avancé votre enquête ?

J'hésite à lui parler des pigeons. A quoi bon le troubler encore avec cette rocambolesque histoire ?

— Heu ! couci-couça, monsieur le professeur. Je venais seulement d'arriver...

Il soupire :

— Et vous partez déjà !

— Sans doute ne s'agit-il que d'un aller-retour... Je vous serais reconnaissant, devant les autres, au petit déjeuner, de me charger de courses importantes à effectuer à Paris, ceci pour expliquer mon départ...

— Très bien.

Tout se passe suivant le plan prévu. Deux heures plus tard, j'atterris dans les Services. Je demande le Vieux, mais on me répond qu'il est en conférence chez le ministre de l'Intérieur. Il a dit que je l'attende. Je vais donc tuer le temps dans mon bureau.

J'ai le plaisir d'y rencontrer Bérurier. Le Gros est en train d'engloutir une formidable choucroute sur son bureau tout en lisant *Le Parisien*.

— Salut, me dit-il, où étais-tu passé ?

— Je faisais une cure de silence à la cambrousse.

Je montre avec épouvante sa choucroute.

— Qu'est-ce que c'est que ce tas de fumier ?

— Mon petit déjeuner... Je me la suis fait monter de la brasserie du coin. C'est eux qui font la meilleure choucroute du quartier.

— Tu peux pas te taper ça, chez toi ou dans les chiottes ? C'est d'une indécence !

Il hausse les épaules et rageusement pique une fourchetée qu'il entend porter à sa grande gueule. Une saucisse de Francfort se fait la malle et lui dégringole sur la braguette. Il s'en saisit entre le pouce et l'index et me prouve qu'elle reste comestible en l'engloutissant d'un seul « happement ».

Je le considère, troublé, secrètement émerveillé aussi devant de pareilles prouesses boulimiques.

— T'es sûr de ne pas avoir le ténia, Béru ? je finis par questionner.

Il éructe non sans distinction derrière sa main en paravent.

— Et après, fait-il, faut bien que tout le monde vive... Qu'est-ce que ça peut me foutre que j'aie le ténia dans le baquet, hein ? Mes moyens me permettent de le nourrir !

Devant cet argument sans réplique, je ne puis que battre en retraite. Je le fais d'autant plus vite qu'on m'avertit du retour du Vieux.

Il est assis à sa table de travail, ses mains en peau de lézard posées comme des objets précieux sur le cuir de son sous-main.

— Ah bon ! soupire-t-il en me voyant rentrer...

Je repousse la porte et m'approche du fauteuil destiné aux visiteurs.

— Vous avez du nouveau, patron ?

— Et quel nouveau !

Il s'empare d'un étui de pigeon, en tous points semblable au premier. De cet étui il sort un message rédigé sur le même papier pelure.

— Sans commentaire, dit-il en me tendant le texte.

Je lis. Et, au fur et à mesure, ma main tenant le papier se met à sucrer les fraises.

« *Premier pigeon intercepté. Vous ai*

adressé solde de l'invention par l'autre voie. Surtout ne pas me contacter jusqu'à nouvel ordre : agent des Services Secrets ici.

Thibaudin. »

C'est un zig complètement lavé qui rend le papier au Vieux.

— Comme quoi vous aviez raison de douter de Thibaudin, murmure le Vieux. Ceci nous prouve une fois de plus qu'il n'existe pas d'être définitivement digne de confiance... Le professeur est un traître, soit... Je m'incline devant l'évidence des faits. Mais je me demande comment cet homme, qui a consacré sa vie et sa carrière à la France, a été amené à passer sur une autre rive...

Qu'en termes élégants ces choses-là sont dites !

— Vous ne vous poserez pas cette question longtemps, chef. Il va falloir que ce sale type parle...

Le Vieux hoche la tête d'un air gêné qui ne lui est pas habituel. Il a visiblement une idée derrière la tête. Or, les idées qu'il a à cet endroit ne sont pas des idées de derrière les fagots !

— Non, San-Antonio, il ne dira rien...

— Je me charge de le faire parler ! Ah !

j'aurais dû m'en douter... Il a été le seul à s'absenter hier pendant le repas...

Le Vieux ne m'écoute même pas. Il fait craquer ses jointures avec onction.

Un silence épais comme de la bouillie pour bébé s'établit (1). Je prévois du vilain pour un avenir très rapproché. Mal à mon aise, je me tortille sur mon fauteuil comme si j'avais pris place sur une caravane de chenilles processionnaires.

— San-Antonio, je quitte à l'instant Monsieur le Ministre...

Pompeux, le boss... Monsieur le Ministre ! Rien que ça...

C'est d'autant plus marrant que ledit ministre, tout le monde l'appelle Dudule dans les Services...

— Ah vraiment ?

— Oui.

— Ordre d'étouffer l'affaire coûte que coûte. Un scandale de cette envergure serait désastreux pour le prestige de notre pays !

Je ne peux m'empêcher de ricaner :

— Le prestige de notre pays ! Il n'en est plus à ça près, le pauvre !

(1) Ainsi que se plaît à dire mon menuisier.

— Que dites-vous là, San-Antonio !

— La vérité ! Si vous alliez à l'étranger, comme moi, chef, vous verriez qu'au-delà de nos frontières, on s'apitoie sur notre sort. On nous plaint à cause de nos malheurs coloniaux, de nos hommes politiques et de notre franc qui maigrit à toute allure... Nous n'avons pas la bombe H ! Tout ce qui nous reste, c'est le French Cancan, le Bourgogne et la Côte d'Azur... Plus Paris, heureusement !... Vous allez me dire qu'il vaut mieux produire le champagne et avoir des femmes sachant faire l'amour qu'être doué pour la torpille humaine, c'est vrai... Mais, tout de même, nous vivons à une époque où le matérialisme est roi ; où il n'existe plus que la noblesse d'argent. Boussac a remplacé le comte de Paris... Quand nous recevons un chef d'Etat, on lui fait visiter dans la même journée le palais de Versailles et les usines Renault, comme s'il s'agissait de deux hauts lieux de notre histoire ! Nous voulons sauver la face, alors que nous ferions mieux de sauver les meubles, vous ne pensez pas ?

Il me regarde, intéressé. Puis il se met à jouer la « Marche des Grenadiers de l'Empereur » avec son coupe-papier.

— San-Antonio, je ne pense pas, nous ne sommes pas payés pour penser, mais pour agir...

Calmé, j'exhale un soupir à changement de vitesse.

— Revenons au cas qui nous intéresse. Je vous le répète : pas de scandale. Thibaudin est un homme trop considérable. L'annonce de sa traîtrise créerait une panique... Et puis, en somme, on ne peut officiellement l'accuser de trahison. Il n'a pas mis au point une arme, mais un produit. Rien ne l'empêche de vendre ce produit à qui bon lui semble !

— En ce cas, pourquoi a-t-il mis son pays dans le coup ?

— Thibaudin était pauvre. Il s'est fait financer par le gouvernement...

— En ce cas, sa découverte appartient au gouvernement...

— Ce n'est pas à nous d'en décider. San-Antonio, le professeur est vieux, malade, usé... Peut-être n'a-t-il plus toute sa raison et a-t-il cédé tardivement aux sollicitations d'une idéologie en laquelle il espère trouver le repos moral ?

— Peut-être...

— Nous, c'est le repos éternel que nous devons lui accorder…

Je bigle le Vieux d'un regard intense. Je sentais bien qu'il me préparait un turbin de ce gabarit.

— Vous voulez dire ?…

— Oui, San-Antonio…

— Liquider le prof !

— Il n'y a pas d'autres solutions !

Il en a de bonnes ! Et nature, c'est Bibi qu'il charge de l'équarrissage. On voit bien que ça n'est pas lui qui marne ! Je voudrais le voir au turf, le boss, avec ses paluches manucurées, son crâne en peau de fesse et ses manchettes amidonnées dont les boutons sont en or !

— La chose doit se conclure très rapidement, San-Antonio !

— Ah bien !…

— Et de façon… heu !… extrêmement naturelle !

— Je comprends… Ça permettra de faire à ce fumier des funérailles nationales ! Ce sont les Autres qui vont rire sous cape !

— Peu importe. Thibaudin doit décéder dans des conditions normales…

— Vous avez prévu quelque chose ?

Ma question est superflue ! Le Vieux

prévoit toujours tout. Il a un citron électronique, c'est pas possible autrement.

Il ouvre son tiroir. C'est inouï, le nombre insensé d'objets qui ont pu séjourner là-dedans ! Il sort un flacon sur lequel est écrit le nom d'un produit très connu (1).

Je sourcille !

— Qu'est-ce que je dois faire de ça ?

— Lui faire boire...

— Mais je croyais que c'était un remède...

— Pris en petites doses, oui. Mais si on en fait une forte consommation, c'est un poison parfait. Il ne laisse aucune trace à l'autopsie !

— Vous m'en direz tant !

— Tâchez de lui faire avaler ça, c'est pratiquement sans saveur...

— Et les résultats ?

— En quelques heures, l'intéressé défunte d'un arrêt du cœur.

— Très bien.

J'empoche la petite bouteille. Non seulement le liquide qu'elle contient est sans saveur, mais il est aussi incolore... Je me

(1) C'est volontairement que je ne cite pas le nom de ce produit. Vous seriez chiches d'en faire gober à votre belle-doche ou à la dame de vos arrière-pensées !

demande par exemple comment je vais pouvoir faire avaler ça à cette vieille guenille de Thibaudin. Ce foie-blanc est sobre comme un chameau... C'est tout juste s'il boit un demi-verre de vin aux repas. Va falloir que je dise au cuistot de nous faire de la morue !

Le Vieux se lève pour m'indiquer que l'entretien est terminé.

Je l'imite.

— Eh bien ! au revoir, chef... Mais franchement, c'est un sale boulot que vous me donnez là. J'aime mieux jouer les d'Artagnan que les Madame Lafarge, vous savez... Le poison n'est pas une arme d'homme !

— Sans doute, mon cher ami, du moins est-ce une arme d'agent secret. C'est l'arme de l'ombre !

Jolie formule... Mais qui ne calme pas mes scrupules. Je veux bien gommer l'extrait de naissance d'un zig, mais à condition que ça se fasse dans un mouvement... Enfin, puisque j'ai choisi cet infernal métier, tant pis pour moi !

— San-Antonio !

— Chef ?

— Je me permets d'insister pour que tout soit terminé demain !

— Bien, chef !

Vous parlez d'un capricieux ! Allez, bonhomme, en route pour la gloire !

Ah ! il a été inspiré, Pinuche, en flinguant ce pauvre pigeon !

DEUXIÈME PARTIE

CHAPITRE VIII

J'OBSERVE LE *SECRET*

Lorsque je suis de retour au laboratoire, tout le monde marne. Je monte à ma chambre, et je m'allonge un moment sur le pageot pour gamberger à la meilleure façon de faire avaler le bocon au vieux chnock... C'est triste de bousiller un vieillard, même lorsqu'il a mérité son châtiment. On aurait dû amnistier le savant, ne serait-ce qu'en considération de ses services passés. C'est fou ce que les hommes sont impitoyables. Ils sont leur propre malheur. Le mal de vivre vient des autres vivants...

Je me lève dix minutes plus tard et je mets ma belle blouse blanche immaculée. Cette fois je me suis décanté de mes scrupules pour ne plus m'attacher qu'à l'exécution (1) de ma mission.

Je me heurte à un esprit problo d'un genre nouveau : faire avaler une certaine quantité de liquide nocif à un homme qui ne boit presque pas. La seule possibilité, c'est celle du déjeuner du matin. Seulement c'est le cul de singe qui fait le service et je ne vois guère la possibilité de placer ma bonne marchandise dans la tasse de thé du vieux... A moins que...

Ça y est : j'ai une idée... Une bonne.

Je me taille du pavillon sans crier gare (2). Je vais à l'annexe et j'aperçois le cul de singe par la petite fenêtre de la cuisine. Il est occupé à essuyer la vaisselle. Il le fait de très bon cœur, à preuve, il chante d'une superbe voix de fausset : « Que ne t'ai-je connue au temps de ma jeunesse ».

Je demeure derrière un arbre, un bon moment, à l'observer... Ensuite je contourne le bâtiment et j'entre dans le *living-room*. Ce que je supposais — à voir sa trogne — m'a été confirmé par mon

(1) Exécution est le terme qui convient, n'est-ce pas, bande de clodos !

(2) Pourquoi du reste pousserais-je ce cri-là, vous pouvez me le dire, tas de nouilles moisies ?

quart d'heure de surveillance. L'ancien cavalier Lafleur biberonne comme une tonne de papier buvard. Il s'arrête parfois de chanter et d'essuyer la vaisselle pour s'entifler une lampée de picrate à même le goulot de la bouteille.

Je saisis mon crayon à bille et je me macule l'extrémité des doigts. Ceci fait, j'avance jusqu'à la cuisine.

— Salut, vieux, dis-je au ténor-plongeur... Regardez ce que je viens de me faire. Vous n'auriez pas un détachant ?

— De l'essence, ça colle ?

— Parfait !

Il me donne sa bouteille d'essence. Je me frotte les doigts. Puis, tandis qu'il sort avec sa pile d'assiettes afin de la remiser dans le placard du réfectoire, je verse de l'essence sur le réchaud à gaz puis sur le sol en prenant soin que la coulée soit continue.

Ceci fait, je passe dans le *living*.

— Dites, vieux, fais-je en lui *atriquant* un billet de cent balles en haillons, vous seriez gentil de me faire chauffer un peu d'eau, j'ai un remède à prendre pour l'estomac.

Il accepte le billet et la mission de confiance dont je le charge. Je n'ai plus qu'à attendre.

Le temps de compter jusqu'à quatre et je perçois une clameur d'épouvante. Je me rue à la cuisine. Le bougre est environné de flammes. Il se croit déjà déguisé en Jeanne d'Arc à l'acte final, dernier tableau !

Je le chope en arrière comme pour le sortir de ce brasier bidon ! Mais je m'arrange de telle façon — je suis prof de judo à mes heures — que je lui démets l'épaule droite.

Ses cris redoublent, naturellement. Moi, très Pont-d'Arcole, j'éteins ce début d'incendie qui — soit dit entre nous et la cage d'ascenseur —, mourait déjà de sa bonne mort...

Je reviens à ce brave cul de singe. Il se tient l'épaule en hurlant que ça lui fait mal.

— Ben, qu'est-ce qu'il y a, mon petit père ? Vous vous êtes gravement brûlé ?

— Non, c'est vous...

— Comment, c'est moi ! je renaude.

Je chique au gars très mécontent.

— Je vous tire d'un incendie et vous rouscaillez parce que je ne vous ai pas pris entre le pouce et l'index !

Il s'excuse, mais son bras le fait terriblement souffrir. C'est une mauvaise blague pour lui, j'en ai eu un peu honte, mais un petit coup d'assurance ne lui fera pas de mal.

On prévient Thibaudin de l'accident. Il est décidé que j'emmènerai cul de singe chez lui, à Evreux, et qu'en attendant je m'occuperai de la bouffe. Très habilement j'ai proposé ça au prof, alléguant qu'il serait imprudent de faire appel à un remplaçant dont on ne serait pas sûr.

Donc, tout va bien de ce côté-là. Le soir je me charge de la jaffe, aidé par Martine qui saute sur l'occasion de se faire pétrir le balancier en loucedé. J'ai beaucoup pensé au cours de l'après-midi et je me suis injurié copieusement pour n'avoir pas pigé plus tôt que tout désignait Thibaudin comme coupable. L'impossibilité pour un autre d'avoir accès au coffre et aussi le fait qu'il gardait jalousement pour lui les fruits de ses recherches... J'ai même découvert, en musardant dans les étages, que sa chambre possède une seconde issue lui permettant de sortir du pavillon sans passer par le hall.

Dommage que ces Messieurs, en Haut Lieu, aient décidé d'en finir discrètement avec lui. J'aurais aimé lui poser certaines questions... Maintenant j'enrage à la pensée qu'il va claboter en croyant nous avoir floués !

Le dîner n'est pas plus mauvais que les autres soirs. Martine dessert la table et je lui file rambour pour un avenir très immédiat dans sa carrée.

Ensuite, je harponne le Vieux discrètement.

— Je voudrais vous parler, professeur.

Il a un vacillement dans les lampions.

— Ah oui !...

— Retrouvons-nous tout à l'heure dans votre bureau, d'accord ?

— Entendu.

Une heure plus tard, après avoir conseillé à la môme Martine de grimper la première, je passe dans l'antre du père Thibaudin. Il est assis dans le fauteuil Voltaire et ses paluches tremblent sur les accoudoirs.

Apparemment, il est anxieux.

Je m'efforce de sourire.

— Mon chef voulait me voir aujourd'hui pour tenir un conseil de guerre, mais hélas ! je dois avouer que nous n'avons guère avancé...

Il fait la grimace, cet hypocrite. Ah ! on peut dire qu'il cache bien ses brêmes.

— Je n'ai pas revu votre laboratoire depuis hier, j'aimerais y jeter un coup d'œil, maintenant que nous sommes seuls.

— Venez !

Il me lâche à regret. Visiblement, il ne tient pas à cette visite touristique.

Nous retournons dans l'immense pièce aux ustensiles barbares.

— Vous avez changé la combinaison du coffre, ce soir ?

— Non, pas encore...

— Ça vous ennuierait de le faire ? Je voudrais me rendre compte de quelque chose...

— Entendu...

Il écarte le bassin et tripatouille le bouton à système.

— Voilà, fait-il...

— Puis-je demander le mot de passe que vous venez de choisir ?

— LIDO.

— Pas mal...

Je feins de me désintéresser de la question. Seulement je triomphe intérieurement, les potes ! Car, voyez-vous, je prévois tout, c'est le secret du travail bien torché. Je me dis que demain matin je lui ferai prendre sa potion calmante ; seulement après il faudra que je mette la main en douce sur tous les documents enfermés dans cette boîte d'acier. Conclusion, pour ne pas avoir à entreprendre de grands travaux, mieux vaut connaître la combinaison.

Nous repartons du labo, le vieux et moi.

Je le raccompagne, comme chaque soir, jusqu'à sa lourde. Ensuite, je redescends trouver le veilleur de nuit, et je dis au bouledogue de me prévenir si, par hasard, le professeur retournait à son labo au cours de la nuit.

Ces dispositions arrêtées, je me consacre pendant une bonne heure à Martine. Je ne sais pas où elle a fait ses classes, mais je peux vous affirmer qu'elle trouve toujours du nouveau. C'est une petite merveille que cette gosse. Elle aurait été élevée au *One two two* qu'elle n'en saurait pas davantage sur l'art et la manière de vous faire visiter le septième ciel.

Un feu d'artifice, mes z'enfants ! joint aux grandes eaux de Versailles ; multiplié par Paris *by night ;* majoré de la Kermesse aux Etoiles, avec la participation gracieuse de la revue du Lido et des Petits Chanteurs à la Croix de Bois !

Quand on sort de sa couche, on se demande si on vient de passer à travers un engrenage ou si Sugar Robinson ne vous a pas confondu avec le type qui faisait du gringue à sa femme !

Lorsque je regrimpe dans mon pigeonnier (1) j'ai les cannes en coton à repriser. Au point que je suis obligé de m'agripper à la rampe pour ne pas m'affaler dans l'escadrin.

J'ai connu bien des escaladeuses, mais jamais des comme Martine.

Va falloir que je me fasse vulcaniser si je continue à la fréquenter, cette petite portion pour monsieur esseulé !

(1) Décidément c'est de l'obsession !

CHAPITRE IX

J'OBSERVE ENCORE LE *SECRET*, MAIS D'UN PEU PLUS PRÈS

Aux aurores je m'éveille, ayant pris soin de remonter la sonnerie de mon Jaz !

Je lève *illico* le panneau vitré de ma tabatière, ce qui me permet de constater qu'une belle journée se prépare. Le ciel est rose praline, l'air est léger comme le compte en banque d'un producteur de films, et il ferait assez bon vivre si je n'étais obligé de tuer un homme ce matin.

Je vais faire ma toilette dans la salle de bains commune. Et, muni du flacon que vous savez, je me dirige vers l'annexe.

Deux de ces messieurs sont déjà levés : Duraître et Planchoni. Le torse nu, ils font de la culture physique dans le parc pour se maintenir en forme ! Le gros Berthier, qui n'a pas eu la patience de m'attendre, tortore une demi-douzaine d'œufs sur le plat. Il me rappelle Bérurier !

Promu cuistot par mes bons soins, comme vous le savez, je m'active dans l'officine. Le flacon fatal (1) dans ma *pocket* pèse une tonne et me brûle la peau à travers l'étoffe de mon grimpant.

Je fais chauffer de l'eau et beurre les toasts en attendant que tout mon monde de poseurs et de résolveurs d'équations soit réuni.

Les uns prennent du café, d'autres — et c'est le cas du vieux saligaud — préfèrent du thé. Le jeu (si je puis dire) consiste à isoler la théière du père Thibaudin et à ne pas se gourer dans le service. Ce serait une bien sale blague à faire au pauvre zig qui ferait l'objet de cette erreur. Il aurait droit à sa paire d'ailes et à son luth doré, le frangin... Et le récital n'aurait pas lieu salle Gaveau, je vous le fais remarquer, mais chez saint Pierre...

Enfin, tout le monde est attablé. C'est le moment, c'est l'instant, musique, *please !* Que le maestro fasse gaffe, surtout ! Un

(1) Il faut bien sacrifier de temps à autre au vocabulaire de la plus pure tradition policière, pas vrai, les mecs ?

coup de baguette malencontreux et on joue la « Pavane pour un assistant défunt » !

Le *hic,* c'est que les préséances m'obligent à servir Thibaudin le premier...

J'ai mon idée... Elle vaut ce qu'elle vaut, c'est à l'usage qu'elle prouvera si elle est bonne ou si elle ne mérite pas plus de considération qu'un billet perdant de la Loterie Nationale.

Je sers les caouas en premier afin d'en être débarrassé. Ensuite, je m'occupe des thés. Ici c'est « Thé et antipathie » que je joue... Ils sont trois à en boire : le Vieux, Martine (*because* la ligne) et Minivier...

Je leur verse trois tasses normales, bien fumantes, et au moment où ils se sont sucrés, je leur présente un plateau de toasts... Mais ce faisant, je m'arrange de façon à renverser le bol du professeur...

Je m'excuse, j'éponge le sinistre et j'ai envie de gifler Martine parce que cette espèce de petite crétine propose sa tasse au Vieux. Heureusement, un reliquat de galanterie française incite Thibaudin à refuser la proposition. Minivier qui se fout quatre sucres dans son thé ne peut offrir un échange standard à son boss qui, lui, n'en met que deux...

Je retourne à la cuisine et je prépare moi-même une tasse de ma composition... La moitié du flacon y passe. Avant de servir, je renifle un grand coup pour voir si ce liquide étranger n'est pas décelable, mais non... Ça chlingue le thé, uniquement.

Frémissant tout de même, je porte ce petit déjeuner mortel à ma victime. Thibaudin parle d'abondance des travaux de la journée.

Je surveille attentivement sa tasse ; quand il la porte à ses lèvres j'ai un petit choc au cœur. Lui ne tardera pas à en avoir un aussi, mais beaucoup plus violent !

Il boit une gorgée et s'arrête un instant de parler. Le v'là qui tique car le breuvage a sûrement un goût. Puis il passe outre, s'étant sans doute dit que je suis un piètre cuistot intérimaire, et il finit d'avaler le contenu de sa tasse. Comme disait une couturière de mes amies qui avait abandonné le métier : « Cette fois les dés sont jetés ». Il est en route pour la terre glaise... Après-demain, les fleuristes vont travailler ferme !

Je regarde s'éloigner la caravane de savants. Martine reste seule avec moi pour m'aider à déblayer le terrain.

— Tu parais tout triste ? observe-t-elle.

— Je pense à la vie, fais-je en haussant les épaules.

— C'est cela qui te déprime ?

— Oui. Je la trouve difficile à vivre par moments...

Elle me coule une de ses œillades friponnes qui flanqueraient des envies à un bonhomme de neige.

— Pourtant elle a ses bons côtés, mon chéri... Souviens-toi...

Allusion très nette à nos galipettes de la nuit précédente, mes z'enfants. Les femmes aiment bien vous émoustiller par des allusions qui vous vont droit au baigneur.

Je lui mets une caresse sur le popotin.

— Tu as raison, beauté brune, lui fais-je.

Elle secoue sa chevelure dorée.

— Pourquoi brune ? dit-elle avec un petit sourire pour hépatique guéri.

— Pourquoi blonde ? je rétorque d'une voix tellement lourde de sous-entendus que je suis obligé de laisser tomber la dernière syllabe.

Elle éclate de rire. Un quart d'heure plus tard nous retraversons le parc pour gagner le pavillon.

Grosse effervescence dans la casba...

Nous trouvons le Vieux étendu sans connaissance sur les carreaux du hall. Tout son état-major fait cercle autour de lui avec des visages sinistres.

Les deux docteurs l'auscultent et s'interrogent du regard.

— Le cœur, fait Minivier.

Duraître approuve d'un hochement de tête.

Martine pousse les exclamations d'usage. J'ai tout de même un regard apitoyé pour ce pauvre bonhomme que je viens de rayer de la liste des vivants.

— Il vit toujours, déclare Duraître... Je pense qu'on devrait le transporter à l'hôpital d'Evreux, non ?

Minivier est sceptique...

— Il vaudrait mieux ne pas le bricoler... Je vais lui faire une piqûre d'huile camphrée...

Le voilà parti en courant. Les autres s'activent, trottent chercher des couvertures, des oreillers pour arranger Thibaudin... Le gros Berthier lui palpe le pouls d'un air navré...

— Ça bat encore, murmure-t-il...

— Crise cardiaque ? j'interroge.

— Oui.

Hypocritement je demande :

— Il y a de l'espoir ?

Le gros tas de lard fait la grimace...

— Faudra voir, après la piqûre... Mais je ne crois pas !

C'est alors que je pense au laboratoire. A mon avis, je dois profiter de la confusion et de l'inattention générale pour aller chouraver les documents du coffre...

Mine de rien, je m'esbigne par le bureau du vieux. Il a eu le temps d'ouvrir la porte blindée avant de tomber... J'entre dans la vaste pièce et je galope droit au coffre. Je tourne l'écrou qui commande le déplacement du bassin, et je m'active sur la mollette... LIDO... Facile... Ce n'est pas le premier coffre de ce genre que j'ouvre. Mais là : échec et mat ! Il reste bouclé. Le vieux a dû changer la combinaison du coffre. Je remets le bassin dans sa position normale.

Je regarde autour de moi ce laboratoire où est né l'un des plus beaux remèdes qu'un homme ait jamais mis au point. Et dire que, pour des nécessités de politique obscure, il a fallu que je liquide l'homme en question...

Un grand désenchantement s'empare de

moi. Je pense au vieux Thibaudin qui clabote dans le hall… C'est rudement mochard !

J'ai un regard navré à sa table de travail où s'est matérialisé son génie !

Quelque chose me fait froncer les sourcils… C'est une petite tache ronde au beau milieu du sous-main. Une tache qui se trouve être un reflet très pâle… Un reflet de jour…. C'est d'autant plus curieux que, je l'ai dit par ailleurs, la salle n'a pas de fenêtre… S'agit-il d'un trou ?

Je lève la tête et j'aperçois une pastille de lumière au plafond. Oui, juste au-dessus de la table de travail de Thibaudin, il existe un petit trou minuscule. La lumière qui tombe de là n'est pas perceptible en temps ordinaire *parce qu'on allume l'électricité !* Or, maintenant, voulant éviter d'attirer l'attention, je me suis servi de ma lampe électrique pour me mouvoir dans le labo…

Troublé par cette constatation, je mets une table sur le large bureau de Thibaudin, une chaise sur cette table, et j'escalade le tout au risque de me défoncer le cigare…

Juché sur cette pyramide, je parviens à la hauteur de l'orifice. Je constate alors qu'il ne s'agit pas d'un trou normal, mais qu'une petite lentille... Et tout à coup, je pige tout !

Au-dessus du labo, grâce à cette lentille placée dans le plaftard, on peut voir, grossie, la table de travail du vieux...

Il est possible de photographier le dessus de son bureau. Vous me suivez ?

Quelque chose de hideux, de glacé, de fou, de mortel, me choit dessus. La situation est si affreuse que j'ai envie de me filer une olive dans le chignon.

Et pourtant la réalité est là, tangible : il y a eu maldonne ! le prof a été victime des gens qui le trahissent. On a dû s'apercevoir de la substitution des pigeons, et on a retourné ma ruse contre moi ! Le salaud qui pillait le cerveau de Thibaudin s'est servi de notre machination pour transformer le pauvre homme en coupable !

J'ai empoissonné un innocent !

Voilà !

CHAPITRE X

L'ESCALIER *SECRET !*

Comme la gonzesse qui avait filé un coup de périscope derrière elle, me voilà transformé en statue de sel ; ce qui donne soif, chacun sait ça et personne ne l'ignore !

Puis, brusquement, je prends une décision héroïque. Vite, je cavale hors du labo, jusqu'au hall...

Thibaudin est toujours allongé par terre. On l'a enveloppé dans des couvrantes et son personnel statue sur la conduite à tenir. Après tout ils sont toubibs, les gars, et je n'ai qu'à les laisser jouer...

— Il vit toujours ? je demande.

On répond à peine à ma question. Je vois la poitrine du vieux se soulever faiblement... Oui, il tient encore le choc peut-être à cause de la piquouze qu'on vient de lui faire pour lui soutenir le palpitant.

Je fonce dans le bureau du mourant et je demande en priorité la communication avec Pantruche. Je l'ai *illico*. Heureusement, mon chef n'est pas en conférence.

— Allô ! boss !

— Ah ! bonjour, mon cher... Alors ?

Je mugis :

— Alors j'ai fait le nécessaire, patron, mais je viens de découvrir qu'il y a erreur...

— Vous vous êtes trompé en administrant le...

— Non ! Erreur judiciaire. Thibaudin est innocent !

Pour la première fois, il sort de sa légendaire réserve.

— Quoi !

— Je vous raconterai tout par le menu... Il faut faire quelque chose pour essayer de le sauver, chef ! C'est horrible ! Il est étendu dans le hall, inanimé... N'existe-t-il pas un antidote à la saloperie que vous m'avez fait lui administrer ?

Il ne proteste pas.

— Restez à l'écoute, San-Antonio, je vais demander à notre toxicologue ce qu'il en pense...

J'attends en piaffant d'impatience. Je perçois faiblement la voix du Boss jactant sur une autre ligne. Vite ! Vite ! Oh ! mon Dieu, faites qu'on puisse tirer Thibaudin de ce mauvais pas. Je me dis que s'il clabote je file ma démission au Vieux !

Il ne sera pas dit que j'aurai contribué à la mort d'un homme de bien et que je continuerai mon petit bonhomme de chemin ! Ah non alors ! J'en veux à mon supérieur. Moi qui l'avais toujours jugé infaillible... Les hommes qui se croient si malins, si fortiches, ne sont dans le fond que de pauvres animaux livrés à eux-mêmes...

Misère ! Il pourra aller se boucler à la Trappe, ce grand toquard de Chauve ! Ou bien s'engager comme caporal ordinaire à l'armue du salé ! Excusez, je suis troublé !

— Allô ! San-Antonio ?

— Oui...

— Passez-moi l'un des médecins qui entourent Thibaudin, on va lui donner des instructions...

— O.K. !

Je cavale dans le hall. Là je marque un poil d'hésitation... Le sacré métier, toujours lui, qui reprend le dessus et me fait réfléchir.

Suivez le raisonnement de l'acrobate, tas de gnafs ! *Puisque le professeur n'est pas coupable, quelqu'un de son entourage l'est, ainsi que nous l'avions primitivement pensé.*

En appelant un des gars qui sont là, j'ai une chance sur dix de tomber sur le vrai coupable ! Vous mordez le cas cornélien du San-Antonio joli ?

A moi de choisir... A moi de décider en trois secondes lequel est innocent...

Je regarde Minivier et Duraître...

— Docteur Duraître, m'entends-je appeler...

Voilà, je m'en suis remis à mon instinct. Tant pis s'il me fout dedans !

Duraître lève sa frite anxieuse. Il est plus pâlot que jamais...

— On vous demande au fil...

Il radine, l'air ennuyé et surpris...

— Qui ? me demande-t-il...

Je le pousse en loucedé dans le bureau et lui montre ma carte.

— Police ! ne cherchez pas à comprendre... Vous allez vous conformer exactement aux prescriptions qu'on va vous donner...

Hébété, il s'empare du bigophone sans me quitter du regard. Je ne sais pas s'il joue les incrédules, en tout cas sa stupeur est bien imitée.

Il se présente :

— Allô ! Docteur Duraître...

L'autre balance son blaze et ça paraît impressionner le jeune médecin, car il cesse de me regarder pour fixer respectueusement son combiné.

Il écoute attentivement en hochant la tête et répond par monosyllabes.

— Oui, oui, fait-il, j'en ai... Oui... très faible... Bon... Bien, monsieur le professeur.

Il raccroche et s'élance vers la porte. Je lui chope le bras.

— Motus en ce qui me concerne, hein ?

Il a une brève affirmation et s'en va.

Notez qu'il est inutile que j'espère conserver l'incognito. Le message trouvé sur le second pigeon prouve que l'espion est au courant de mon identité...

Le branle-bas continue à emplir le hall, transformé en infirmerie, d'une agitation échevelée. Cette fois, Duraître a pris la direction des opérations... J'espère ne pas m'être gouré en l'estimant innocent.

Je sors sur l'esplanade et je fais un

examen approfondi de la casba pour essayer de voir à quelle pièce du premier correspond la lentille fixée dans le plafond du laboratoire.

Mon exercice topographique me permet de délimiter le secteur. Je pénètre dans la baraque et je grimpe à l'étage au-dessus... Au bout de quelques minutes de recoupements, je finis par dénicher le judas... Il se trouve tout simplement dans les gogues !

Il n'existe pas d'endroit plus anonyme et d'utilisation plus générale, vous en conviendrez ?

Le trou à la lentille se trouve juste derrière la cuvette. On ne peut absolument pas le découvrir si on ignore son existence. Je m'accroupis au-dessus et j'aperçois le sous-main du professeur grâce à la clarté qui arrive par la porte ouverte du labo. Ce sous-main me semble être à cinquante centimètres de moi ! Je vous parie un deux cents de valets contre un valet de chambre qu'on peut, d'ici, presque lire ce que le bonhomme écrit. Les photos qui sont tirées doivent être agrandies...

Je me redresse : photo !

L'un des membres du personnel possède

donc un attirail de photographe, la chose ne fait pas de pli !

Je me barre du pavillon au moment où l'on transporte le père Thibaudin dans sa chambre.

Au passage, je jette un regard éperdu à Duraître. Il me répond par une petite moue incertaine qui ne me dit rien qui vaille ! Pourvu qu'il arrive à sauver son patron !

Je suis peinard pour explorer les chambres de ces messieurs... Je commence par la plus petite annexe. Celle qui héberge les trois sous-fifres : Berthier, Berger et Planchoni.

J'entre dans la première carrée et je me rue sur une valise glissée sous le lit. Elle ne renferme que du linge sale... Aucune trouvaille digne d'intérêt non plus dans le petit placard... Je reconnais l'identité du locataire à l'ampleur des fringues.

C'est la piaule de Berthier, l'obèse...

Je ressors, bredouille, et j'entre dans la chambre de Planchoni. Pas d'hésitation, c'est bien la sienne, il y a, fixée au-dessus du lit, une photo qui le représente aux côtés de sa bonne vieille moman. Ils ont, l'un et l'autre, la même frime chevaline. Ils pourraient servir d'enseigne à une boucherie hippophagique, c'est vous dire...

En explorant dans le placard, je trouve un appareil photographique, mais il n'est vraiment pas fameux. C'est un vieux machin carré, en boîte, comme on en gagnait avant-guerre dans les loteries ou comme vous en proposaient les bons de la Semeuse contre une flopée de timbres-réclame...

C'est certainement pas avec ce vieux 6 × 9 qu'il a pu photographier les documents... Pour faire ce boulot, on a utilisé sans doute un appareil perfectionné, avec flash...

Je quitte la seconde chambre pour pénétrer dans la troisième, à savoir celle de Berger. Mon attention est *illico* sollicitée par un attirail compiet de photographe dans une sacoche de cuir accrochée à un clou.

Je farfouille avec délectation dans la sacoche. Pas de doute, je tiens le bon bout.

Tout à coup, un bruit de pas me fait tressaillir. Je vais pour me planquer, mais c'est trop tard, la lourde s'ouvre et Berger paraît. Le petit pruneau plein de tics a des yeux qui remplaceraient au pied levé un poêle par catalyse !

La chaleur qui s'en dégage me brûle le derme !

Au lieu de me demander ce que je maquille chez lui, il me fonce dessus, bille en tête ! Il a agi avec tant de brusquerie que je n'ai pas pu éviter la charge, du reste je suis coincé entre le lit et l'armoire. Je déguste un formidable coup de boule dans le parc à huîtres ! J'ai l'impression de n'être plus qu'un mauvais estomac hors d'usage...

Je produis un couic lamentable et je glisse en avant. Il me met alors un crochet droit à la pointe du menton, tellement sec que j'en oublie qui je suis...

Je pars à dame sans avoir eu le temps de me demander quelle pouvait bien être la couleur du cheval blanc d'Henri IV ! *Good night* (1) !

Je m'écroule dans de l'opaque, tandis que le chœur céleste des vierges entonne : « Tu m'as donné le grand frisson, celui qui fait perdre la tronche ! »

Je récupère très vite. Simple question de contact, vous le savez. La main délicate de mon ange gardien rétablit le circuit et

(1) Comme disait le tennisman borgne qui venait de recevoir la balle dans son œil valide.

l'électricité revient dans ma gamberge. Je me redresse péniblement en me massant le menton. Le noiraud, *furax* comme un péquenot qui trouverait un troupeau de mouflons dans son champ de luzerne, me considère sans parvenir à comprimer ses tics.

Son regard coagulé ressemble à deux morcifs d'ébonite.

— Votre gueule ne me revenait pas, dit-il, je me doutais bien que vous étiez un type pas catholique... Vous mériteriez que j'appelle les flics...

Je réfléchis aussi vite que le permet ma citrouille perturbée.

Est-ce lui le coupable ? M'a-t-il filé une toise parce qu'il savait que j'étais le poulet maison et qu'il a vu là une occasion de s'innocenter en chiquant au cambriolé ; ou bien, au contraire, ressent-il vraiment l'indignation de l'homme qui surprend un monsieur dans sa chambre à pioncer ?

Perplexe, je m'avance vers lui.

— Dites, mon vieux, avant de tirer, on fait les sommations d'usage !

— Quoi !

— Je vous dis qu'au lieu de me biller dans le lard et de m'insulter vous auriez mieux fait de me poser des questions très élémentaires, je vous aurais répondu et le nuage se serait dissipé...

Il accentue ses tics. Maintenant sa gueule saute toutes les deux secondes, comme si on y avait enfermé un boisseau de grenouilles. Profitant de son indécision je poursuis :

— Si c'est votre chambre, excusez du peu, l'erreur est une chose humaine, dit-on. Le docteur Duraître m'avait demandé d'aller chercher un remède pour le professeur dans ses bagages.

— La chambre de Duraître est dans le bâtiment voisin ! crache le noiraud.

— Comment le saurais-je ? Ça fait à peine trois jours que je suis ici et je crèche dans le pavillon à l'autre bout du parc, faut être gentil, non ? Monsieur Robinson ?

Il commence à se détendre... J'ignore toujours s'il joue ou s'il est sincère. Vraiment, il n'y a pas mèche de se faire une opinion sur ce petit bonhomme à ressort.

— Le docteur Duraître m'a dit que sa chambre était à gauche... Bon, je suis venu à gauche... Vous ne pensez pas que je m'amuserais à jouer les mignonnes souris d'hôtel !

Cette fois, il est convaincu — ou il semble

l'être. Il a un vague sourire que j'attrape au vol avant que sa bouille ne parte en l'air sous l'effet de son sacré tic.

— Bon, excusez-moi... Mais quand on voit un garçon qu'on connaît mal farfouiller dans vos affaires...

— Oui, je comprends... J'allais dire y a pas de mal, mais bonté, qu'est-ce que vous m'avez filé comme avoinée... Dites, vous avez été champion de France des légers ?

Il rigole.

— J'ai fait un peu de boxe, à la Fac, avec des amis que ça intéressait.

— Vous auriez dû continuer. A cette heure, vous franchiriez le ring du square Garden...

Là-dessus on se quitte. Il m'indique la vraie chambre de Duraître et je profite de l'occase pour y faire une inspection rapide... Pas d'attirail photo...

Voyant s'éloigner Berger, je me risque dans celle du docteur Minivier... Il n'y a pas non plus d'appareil photographique dans sa carrée... Conclusion, Berger serait-il le coupable ?

C'est sur cette énigme que je regagne le pavillon. J'y apprends que Thibaudin va mieux. Duraître, que je chope à part, me dit qu'il espère le sauver, il me pose des questions embarrassantes. Evidemment, tout ceci ne lui paraît pas catholique, ni même apostolique ou romain ! Il est stupéfait de savoir que le prof a été empoisonné, et plus encore de constater que j'étais au courant de la nature du poison...

Je m'en tire en lui montant un barlu qui ne déparerait pas les aventures de Tintin. Je lui explique que nos services ont arrêté dans les parages un suspect, lequel avait en sa possession un flacon du poison en question. En voyant le vieux inanimé, j'ai fait un rapprochement et j'ai téléphoné à Paris... Il me félicite pour mon esprit de déduction et pour la décision dont j'ai fait preuve. J'accepte ses fleurs sans plaisir. Avouez que c'est vexant de farcir un éminent savant de merdouille et de se faire tresser des lauriers parce qu'après on est revenu de son erreur !

Je lui dis que je soupçonne l'homme arrêté d'avoir eu une complicité dans la taule. J'ajoute que je viens de fouiller les chambres des assistants et je mentionne le flagrant délit et la manière dont je me suis tiré de ce mauvais pas. Il m'assure qu'il ne me contredira pas lorsque Berger lui touchera deux mots de l'incident.

En partie rassuré — parce que je ne sais toujours pas si Duraître est innocent — je m'en vais dans la propriété voisine rendre une visite de politesse au deuxième pigeon.

L'animal roucoule tristement en essayant de sortir de sa cage. On ne lui a pas apporté à becqueter et il devient anémique, le pauvre chéri. Evidemment, le criminel n'a plus besoin de lui.

J'attache les pattes du volatile avec un morceau de ficelle et je gagne ma voiture sans repasser par la propriété de Thibaudin...

Il faut que j'aille à Paris. Je veux vérifier quelque chose, car j'aime m'assurer de la fermeté du sol sur lequel je pose mes nougats quand j'avance en terrain inconnu.

Le Vieux ne fait pas le mariole. Il a des plis plein son vélodrome à mouches. C'est du cross que les noirs insectes peuvent faire maintenant. Son regard bleu est éteint comme une vitrine après la fermeture du magasin.

Je m'assieds sans qu'il m'en ait prié.

— Comment va-t-il? balbutie le Vieux.

— Légèrement mieux, fais-je. J'ai mis un des deux toubibs dans le secret ; il s'occupe de lui et espère le sauver si le cœur du prof se montre à la hauteur des circonstances.

— Quelle catastrophe ! soupire le Boss.

J'en profite pour lui distiller mon filet de vinaigre.

— Je pense honnêtement, chef, que la décision qui a été prise au sujet de Thibaudin était un peu... hâtive. Nous n'avions contre lui que ce billet... Le fait qu'il soit signé aurait dû nous faire tiquer... Un homme qui trahit son pays et qui confie un message à un pigeon voyageur, en sachant qu'un précédent pigeon a été intercepté, se serait méfié...

L'homme à la casquette en peau de fesse ne répond pas. Il assimile son désappointement et couve sa honte. Il est rare que le Vieux se cloque le doigt dans l'œil à ce point.

— Maintenant, fais-je, il faut que nous étudions les choses en détail. Primo, les pigeons. Vous avez conservé les deux que Magnin a ramenés ?

— Bien sûr...

— Pouvez-vous dire qu'on les amène,

ainsi que celui qui se trouve dans mon bureau ?

Il décroche son tubophone intérieur et donne des instructions.

Quelques instants plus tard nous avons les pigeons. Un seul coup d'œil me révèle le « désastre ». Je ne pouvais pas faire prendre les miens pour les autres à l'espion... Les miens ont les pattes grises. La différence est si criante qu'elle saute aux yeux ! De nuit, elle ne nous est pas apparue, mais évidemment, à la lumière du jour, c'est la première chose que notre mystérieux type a remarqué...

— Un mauvais point pour moi, dis-je au Vieux...

Ça lui va droit à la bille. Il ratifie mon *mea culpa* d'une grimace réprobatrice.

— Cette question me tourmentait, poursuis-je, la voici donc éclaircie...

« Maintenant, montrez-moi le second message, peut-être nous apprendra-t-il quelque chose... »

De bonne grâce, il le sort de son tiroir inépuisable.

Je fais la grimace, comme si je posais pour la publicité d'un laxatif. Il est écrit en caractères d'imprimerie. Vous allez me dire qu'un éminent graphologue arriverait à situer le rédacteur de ce billet en le comparant avec les écritures des gars du labo ; mais moi, je n'aime pas beaucoup les rapports d'experts. Ces messieurs ne sont jamais d'accord. Ils se prennent pour des magiciens alors que ce ne sont que des bricoleurs !

Je rends le billet au Vieux.

— Zéro pour cette question... Passons à autre chose...

— A quoi ?

— Au raisonnement pur et simple. Celui qui a adressé ce message pensait que nos services prendraient la décision qu'en effet ils ont prise... N'est-ce pas ?

Le bandonéon du Vieux se déplisse. Son regard éteint se rallume.

— Ensuite ? fait-il.

— *Donc, celui qui trahit n'a plus besoin de Thibaudin, vous comprenez ?*

— Ça se tient, admet le Boss.

— Alors, nous sommes en droit de nous poser la question suivante, chef : « Pourquoi n'a-t-il plus besoin du prof ? »

— Parce qu'il a en sa possession tout ce qu'il désire ! répond mon éminent supérieur, lequel n'a rien sur le dessus du bol mais possède en revanche beaucoup de choses à l'intérieur...

— Voilà !

Un silence tendu comme la peau des Peter Sisters s'établit à son compte.

— Dites, chef...

— Oui ?

— Comment l'homme en question, appelons-le provisoirement monsieur X, si vous le voulez bien...

Ça n'est pas fait pour lui déplaire. Lui qui vit les affaires d'espionnage les plus formides de l'époque, il se repaît de termes faussement mystérieux qui n'amuseraient même plus des garnements de douze ans.

— Comment ce monsieur X, reprends-je, aurait-il l'invention complète alors que Thibaudin lui-même ne l'a pas !

Ça pose une vache équation, les potes, non ?

Mais il n'existe pas de mystère pour le Boss. Tout en massant son suppositoire, il suggère :

— San-Antonio, les gens qui travaillent avec le professeur Thibaudin sont pour la plupart ses élèves... Il les a formés... Il a dirigé leurs travaux... Pourquoi l'un de ces scientifiques, mis sur la voie par la besogne qui lui est confiée, ne serait-il pas allé plus loin que son maître ?

Je sursaute :

— Mais c'est vrai, patron, pourquoi pas !

Les lampions mi-clos, je lis dans le marc de Bourgogne (1) « Oui, un jeune ambitieux... » Ces gars sont tous des dingues de travail. La preuve : ils ont une belle secrétaire à portée de la main et ils lui disent à peine bonjour !

Sourire du Vieux qui connaît les faiblesses de son San-Antonio bien-aimé.

Je continue :

— ... Monsieur X a pigé ce que cherchait le père Thibaudin. Mis sur la voie, en effet, il prend l'initiative... Il cherche, va plus vite que son maître... Grâce au judas qu'il a percé au plafond, il suit la progression de celui-ci, ce qui lui permet d'orienter la sienne... Parbleu... Seulement les travaux du professeur sont patronnés par l'Etat. De ce côté-ci, rien à faire... Lui veut monnayer ses travaux... Il peut gagner une fortune, s'installer en grand, devenir une gloire scientifique...

Le chef se lève.

(1) Que je préfère au marc de café.

— San-Antonio, vous ne devriez pas être ici !

— Pourquoi ?

— Mais parce que votre monsieur X possède l'invention… Il va la communiquer à ceux qui le paient… Il faut trouver monsieur X. Il faut lui reprendre ses documents…

Il n'a pas terminé sa phrase que je suis déjà dehors…

Comme quoi, le raisonnement est un escalier, mes z'enfants. Un escalier secret qui vous donne accès à des vérités apparemment inaccessibles (1).

J'ai bien fait d'en gravir les marches. Cette fois, je vous parie que je tiens bon la rampe.

Il a eu tort, le gars X, de penser qu'on pouvait me faire des sonotones aux lanternes sourdes !

Tiens, au fait, comment a-t-il percé à jour mon identité ?

(1) Dans les cas graves, j'ai besoin de m'exprimer par sémaphore !

CHAPITRE XI

JE RATE UNE MARCHE DE L'ESCALIER *SECRET* SANS LE SAVOIR !

Tout en pilotant mon tréteau à cent trente chrono sur l'autoroute de l'Ouest (1), je fais le point de la situation. Une idée géniale, comme un escargot ou un agent cycliste, ne vient jamais seule, j'en ai une autre, encore plus balaise !

Encordez-vous, prenez vos piolets à pleine main et suivez-moi dans mon ascension morale. Surtout faites gaffe aux peaux de banane.

Avec l'impérissable génie qui a fait ma popularité, je pense de la façon suivante : « Monsieur X (2) a percé un trou dans le

(1) Pourquoi appeler cette voie ainsi, étant donné que la France n'a pas encore d'autoroute à l'Est !

(2) Ça fait un peu mélo, mais ça me plaît !

plafond (1) et y a collé une lentille grossissante. Bravo ! il a procédé ainsi pour pouvoir suivre les travaux du Vieux. Re-bravo ! Mais alors, mes belins chéris, ça prouve une chose, ça : c'est que Monsieur X ne pouvait se trouver dans le laboratoire... *Puisqu'il était au-dessus !* Or, pendant que Thibaudin œuvrait, *trois de ses employés travaillaient dans la même salle que lui, vous y êtes* (2) ? Ceci me permet d'éliminer systématiquement les trois gars suivants : Duraître, Berthier et Berger... Restent donc, comme suspects, Minivier et Planchoni... Je peux vous avouer que ce sont deux des moins sympathiques, ce qui ne me fâche pas outre mesure. Je me fie à mon vieil instinct et quand la frite d'un gnace ne me revient pas, vous pouvez parier une peau d'ogre contre la peau de Job que l'intéressé n'est pas intéressant.

Je finis la route à tombereau ouvert sans cesser de me répéter ces deux blazes : Minivier ou Planchoni.. Minivier ou Plan-

(1) Lequel plafond se trouve être le plancher de l'étage au-dessus !

(2) Et si vous n'y êtes pas, allez vous faire cuire une soupe à l'oignon...
» A l'oignon ou ailleurs !

choni... Et qui sait ? Peut-être sont-ils coupables l'un et l'autre ? J'en doute fortement car, à mon avis, le gars qui a goupillé ça est un arriviste, et un arriviste tâche d'arriver tout seul...

On vient de transporter Thibaudin à l'hosto d'Evreux que je stoppe devant la propriété du malheureux savant. Je suis bien déterminé à lui valoir une éclatante compensation.

Ayant appris qu'il avait retrouvé connaissance, je poursuis ma route jusqu'à Evreux. A l'hôpital, on me dit que le savant est isolé et qu'il n'est pas visible pour le moment. J'insiste et demande à parler au directeur de l'établissement. On finit par me donner satisfaction, sans doute grâce à mon charme efficace !

Le dirlo est un monsieur d'allure aimable. Il paraît sensible à ma qualité de bourdille, non parce qu'il a une prédilection pour les draupers, mais il a lu quelques-uns de mes souvenirs au cours de ses nuits de veille.

Je lui demande où en est Thibaudin...

Il m'offre alors une lippe qui ne pourrait pas me donner l'heure exacte.

— Il a absorbé une trop grosse quantité de X (1) murmure le médecin-chef. Je ne sais pas s'il s'en tirera. Je viens d'alerter le Professeur Ménendon, de Paris. C'est le premier toxicologue de France, il arrive... Nous aviserons...

— On m'a dit que Thibaudin avait repris connaissance, pensez-vous que je puisse lui parler ?

Il secoue la tronche...

— Lui parler, oui... Il vous entendra mais ne pourra pas vous répondre...

— J'aimerais cependant essayer...

— Comme vous voudrez, mais ne le fatiguez pas trop... Il est dans un état de délabrement total... A son âge, c'est grave !

Il m'accompagne jusqu'à une chambre isolée des salles communes. La pièce est plongée dans une pénombre reposante.

Une écœurante odeur règne.

— On vient de lui faire un tubage d'estomac, m'avertit le médecin-chef. Je ne suis

(1) N'insistez pas, je ne vous dirai pas le nom de ce produit. Si vous voulez vous débarrasser de votre conjoint, faites comme tout le monde : employez la poudre à doryphore !

pas certain que ça donne des résultats positifs !

Je m'approche du lit. Le visage émacié du professeur repose sur l'oreiller. Ses cheveux gris ressemblent à de la moisissure. Il a les yeux clos et sa respiration est courte...

Je regarde mon beau travail la gorge serrée.

— Monsieur le professeur ! appelé-je doucement...

L'une de ses paupières se soulève à demi, mais l'autre reste baissée.

— Vous m'entendez ? Je suis le commissaire San-Antonio.

Sa paupière soulevée a comme un papillotement.

— Quelqu'un vous a administré un poison, dis-je, mais rassurez-vous, nous nous en sommes aperçus à temps et vous serez sauvé...

Aucune réaction. On dirait qu'il se désintéresse complètement de la question...

— Je vais vous demander de faire un effort, professeur... Essayez de vous souvenir si vous avez parlé de moi, sur le plan professionnel à quelqu'un de votre entourage. Avez-vous dit à l'un des vôtres que j'étais un policier ?

Il reste figé comme un masque. Son visage semble sculpté dans de la pierre ponce. Il est gris et poreux...

— Vous ne pouvez pas répondre, professeur...

Je lui tends la main.

— Si vous le pouvez, remuez un doigt !

Je sens dans la paume un léger frémissement.

— Parfait. Je repose ma question. Si vous bougez le doigt, ça voudra dire oui...

« Avez-vous dit au laboratoire que j'étais un policier ? »

Sa main reste inerte comme un bout de mou dans la mienne.

— A personne, vous êtes certain ?

Il ne bronche pas...

Le directeur de l'hosto me fait des petits signes (1). Visiblement, il trouve que je charrie. Je vais buter le pauvre vieillard une nouvelle fois.

— Très bien, je soupire, laissez-vous bien soigner, monsieur le professeur. Et ayez confiance, je suis sur le point d'arrêter le coupable.

(1) Comme disait une maman cygne en parlant de son mari, lequel appartenait à Saint-Saëns.

Sur cette promesse bien risquée, je me trisse, escorté du médecin-chef.

— Je le trouve bien bas, fais-je...

— Oui, ça m'étonnerait qu'il en réchappe !

Je lui prends le bras.

— Je veux que vous le sauviez !

— C'est au bon Dieu qu'il faut demander ça, commissaire, pas à moi !

— Alors faites-lui la commission...

Je continue à me poser des questions embarrassantes. Dans le message bidon, Monsieur X dit qu'un policier est dans la place. Comment a-t-il été mis au courant de ma véritable identité ?

Ai-je été reconnu, ou bien...

Décidément, ça continue à ne pas tourner rond...

J'entre dans un bureau de poste et je téléphone au Vieux pour qu'il m'envoie Pinaud, Bérurier et Magnin en renfort. Je suis décidé à frapper le grand coup !

Au pavillon, ces Messieurs se sont mis au charbon. Ils travaillent en attendant les nouvelles. C'est leur façon à eux de tuer le temps. Je demande à Martine de m'appeler le docteur Duraître et, quand ce dernier me rejoint, je l'entraîne dans le parc afin d'avoir une conversation à bâtons rompus.

— Docteur, lui dis-je... Il y a dans cette maison six personnes dont l'une est un criminel.

Ce préambule lui fait ouvrir une bouche grande comme le tunnel de Saint-Cloud.

— Vous dites ?

— La vérité. Et je vous compte dans ces six personnes, excusez-moi.

Ma franchise lui fait refermer le bec. Il le rouvre aussitôt pour demander :

— Qu'appelez-vous un criminel ?

— Un espion ! On s'intéresse à l'invention de Thibaudin... L'un de vous le trahissait, il n'y a rien de nouveau depuis les apôtres, vous le voyez...

— C'est insensé !

— C'est surtout immoral.

— L'un de nous !

— Oui. Puisque je vous ai choisi comme confident, sans trop savoir pourquoi au juste...

Je m'interromps et je souris... Si, je sais pourquoi je me suis adressé à Duraître plutôt qu'à Minivier... Il a les yeux de

Félicie, ma vieille Moman... Vous savez : de grands yeux étonnés et craintifs qui pardonnent tout...

— Donc, puisque vous êtes dans le secret, je vous pose l'embarrassante question que voici : étant donné qu'un de vos collègues est un traître, lequel seriez-vous le moins surpris de voir démasquer ?

Il fronce les sourcils, regarde la pointe de ses godasses mal cirées, puis me regarde.

— Il m'est impossible de répondre à une semblable question, monsieur ! Vous devez bien le penser... Ce serait faire un choix ignoble... Laissez-moi vous dire que si l'un des nôtres avouait avoir trahi, je serais pareillement surpris pour tous !

C'est la réaction d'un homme bien. Je ne puis que l'approuver.

— N'en parlons plus. Je voudrais maintenant vous poser une seconde question...

— Je vous écoute.

— Savez-vous à quelle invention travaillait Thibaudin ?

Il rougit, puis détourne le regard.

— Hmm ?

— Eh bien !...

Il sourit tout à coup.

— Le bon Maître est très maniaque,

vous l'avez certainement remarqué... Il faisait des mystères, prenait un excès de précautions... Mais il oubliait que Minivier et moi sommes des spécialistes des questions nucléaires et que c'est précisément ce pour quoi il nous a choisis...

— Alors ?

— Alors, dès le premier mois de collaboration, nous avons compris qu'il s'agissait d'un produit de protection contre les radiations atomiques...

— Il entretenait un secret de polichinelle, en somme ?

— En somme, oui !

C'est bien ce que j'avais gambergé dans ma petite tronche à détecter la couleur des dessous de dame !

— Et vos trois aides, ils savent eux aussi ?

— Bien que nous ne leur ayons jamais fait part de nos incertitudes, Minivier et moi, je pense que oui...

— Mouais... O.K., docteur, je vous remercie.

Je regarde s'éloigner sa silhouette blanche, étriquée et dansante à travers les arbres... Il vient de me fortifier dans une impression : Minivier savait ! Et Planchoni aussi, sans doute !

Je continue de gravir l'escalier, les Jules... Suivez-moi ! Je vous rattrape !

*
**

La nuit descend par l'échelle de secours... Il fait un temps superbe et ça renifle bon les feuilles...

A l'instant où je gravis le perron, je vois radiner une bagnole noire des services... Au volant, devinez qui ? Cette bonne enflure de Bérurier... Il est congestionné comme un steak tartare et il fait de grands gestes en descendant de l'auto.

Magnin et l'ineffable Pinuche l'accompagnent. Je m'avance vers eux.

— Tiens, v'là le trio Royco, fais-je...

Bérurier se précipite vers un arbre dont il se met à compisser le pied avec une générosité qui éloigne de son entourage toute idée de prostate.

— Y a de la verdure, dans le coin, brame-t-il.

Je regarde Pinaud.

— Dis donc, il est blindé, le Gros, non ?

— Oui. Il a été invité à déjeuner par son

copain le coiffeur, tu sais, l'amant de sa femme ? Et depuis il a beau boire des petits blancs il n'arrive pas à se dessoûler...

— Qu'est-ce qui parle de soûler ? interroge Béru qui revient de son arbre avec son pantalon défait...

— J'ai demandé du renfort, pas des ivrognes ! fais-je d'un ton glacé, tandis que Magnin rit sous cape (1).

Le Gros a des yeux injectés de sang et son haleine ferait reculer une ménagerie.

— C'est... heug... pour moi que tu dis ça ? fait-il d'une voix outragée !

— Pour qui serait-ce, bougre de sac à vin !

— C'est honteux ! J'ai jamais été soûl de ma vie... Je voudrais me soûler que je n'y arriverais pas...

— Ta gueule ! Fais ce que je te dis et respire moins fort, on dirait que t'as bouffé un cimetière !

Il se renfrogne. Je fais claquer mes doigts

(1) Rire sous cape est un exercice très périlleux qui nécessite un entraînement forcené. Certains téméraires qui voulurent rire sous cape sans préparation moururent d'étouffement. Nous conseillons aux débutants de rire à la dérobée pour commencer, c'est la méthode qui prévaut chez les pickpockets.

agiles afin d'attirer l'attention de mes équipiers.

— Voilà où nous en sommes, dis-je. Il y a dans cette propriété six personnes. L'une d'elles est un traître et détient des documents. Ceux-ci sont bien cachés, car notre coupable sait qui je suis et a dû prendre ses précautions. Il s'agit de le forcer à aller à la cachette, vous mordez ?

Magnin et Pinaud opinent. Bérurier éructe, ce qui revient au même.

— Alors, vous allez suivre mes instructions à la lettre, dis-je...

CHAPITRE XII

C'EST UN *SECRET* POUR PERSONNE SEULE

Il me faut un bon quart de plombe pour affranchir mes pieds nickelés de mes desiderata (1) ! Dans l'état euphorique de ma grosse gonfle de Bérurier, c'est plutôt coton de lui faire apprendre un rôle. Il est tellement congestionné qu'on dirait qu'il va éclater. Il y a un jaune d'œuf entier sur sa cravate et le col de sa chemise qui fut blanche dans un passé très ancien est agrémenté d'éclaboussures de vin du plus pittoresque effet. De temps à autre, il passe sur ses lèvres violettes une langue de bœuf trouée comme ses chaussettes et si écœurante qu'un tigre affamé préférerait s'ins-

(1) Mot tiré d'une chanson militaire : « C'est pas de la soupe c'est du desiderata ! »

crire à la ligue des végétariens plutôt que de se la tortorer.

Ayant dressé un solide plan de campagne, je quitte mes archers afin de les laisser jouer.

Je contourne la bicoque pour rentrer et, en attendant que se déclenche le gros bidule, je vais vérifier si les deux hémisphères de Martine sont toujours accrochés là où il faut.

Elle paraît toute triste, la pauvrette. Elle me dit qu'elle a du chagrin de ce qui est arrivé à Thibaudin. Il était maniaque, ronchon, râleur, exigeant, mais elle avait pris l'habitude de marner pour lui et elle avait appris à l'estimer... Son cafard rejoint le mien. Une fois encore, j'adresse à Celui d'En-haut qui tire les ficelles des pantins que nous sommes une fervente prière pour le prompt rétablissement du vieux savant...

Nous sommes en train d'essuyer nos pleurs respectifs lorsque le trio Parapluie fait une entrée très remarquée pour donner son récital.

Pinuche, dans sa gabardine souillée, ressemble à un épouvantail qui en aurait eu sa claque de faire le pied de grue dans un champ de maïs. Sa moustache élimée ressemble à deux petits morceaux de ficelle noués bout à bout sous son nez torturé. Son chapeau gondolé, ses falzars en tire-bouchon et le pan de sa chemise qui sort du grimpant complètent harmonieusement sa silhouette *up to date.* S'il n'y avait pas le petit Magnin, sec et strict pour rétablir l'équilibre, on prendrait mes deux boy-scouts pour des clodos de la Maube en rupture de boîtes à ordures !

Pinuche qui, en sa qualité d'inspecteur principal, se croit autorisé à prendre les initiatives qui s'imposent, va droit au gardien.

— Inspecteur principal Pinaud, déclare-t-il d'une voix caverneuse.

Là-dessus il éternue, ce qui agrémente aussitôt son nez d'une stalactite que son interlocuteur considère avec indécision.

— Réunissez-moi tout le personnel, poursuit Pinaud, j'ai une communication importante à faire...

Le gardien déhote en faisant fissa, impressionné par cette armada de pieds-plats. J'en profite pour apparaître, avec la taille de Martine à l'intérieur du bras droit.

Bérurier pose sur le beau couple que

nous formons un regard plus lourd qu'un sac de pommes de terre.

— Y en a qui s'en font pas, bredouille-t-il.

Je le fustige d'un œil sec. Il met une soupape de sûreté à son moulin à débloquer.

— Qui êtes-vous ? me demande Magnin, jouant les poulardins sans se marrer.

— Le garçon de laboratoire du professeur Thibaudin.

— Et mademoiselle ?

— Sa secrétaire...

— Veuillez attendre ici que tout le monde soit réuni.

La convocation des Etats Généraux ne tarde pas à s'effectuer.

Nous voilà tous groupés dans le hall. Pinaud prend alors la parole.

— Mademoiselle, attaque-t-il galamment, messieurs, j'ai une pénible nouvelle à vous apprendre... Le professeur Thibaudin a été victime d'une tentative d'empoisonnement...

Rumeur dans l'assistance. Chacun regarde les autres avec stupéfaction. Pinuche, satisfait de son effet oratoire, enchaîne :

— Nous avons pu l'interroger un peu à l'hôpital et il nous a fait certaines révélations de la plus haute importance. De ces dernières, il appert que l'invention qu'il mettait au point se trouverait en danger...

Pinaud, dit Pinuche, dit la Pinette, se gargarise de ce mot « appert » qui lui confère une certaine culture, du moins le croit-il très fermement.

Il lisse le bout de sa moustache miteuse dans les poils de laquelle adhèrent un reliquat de sauce tomate et des brins de tabac.

Puis, très noble dans sa simplicité, il continue :

— Quelqu'un, parmi vous, saurait-il où se trouve le coffre secret de M. Thibaudin ? Il aurait placé à l'intérieur des documents très circonstanciés que nous devons récupérer au plus tôt.

Le regard terne du père Pinuche parcourt l'assistance muette. Nous secouons négativement la tronche. Non, personne ne sait où se trouve le coffre, du moins c'est ce que tendent à assurer nos faces soucieuses et figées.

— Eh bien ! fait Pinaud, mes collègues et moi-même allons procéder t'à une fouille complète du laboratoire... Il est dommage que monsieur le professeur Renaudin...

— Thibau... heug... din, rectifie Béru qui, malgré son ivresse, a une mémoire plus solide que son collègue.

— ... Que monsieur le professeur Thibauchin, voulais-je dire, continue emphatiquement la Pinette, ait perdu connaissance avant que d'avoir pu nous révéler l'emplacement dudit coffre...

Il a fini. Une sueur généreuse perle à son front de vieux rat minable... Pinaud épousette une poussière imaginaire sur le col ignoble de sa gabardine qui donnerait des cauchemars à un teinturier.

— Mademoiselle, messieurs, en attendant les résultats de nos investigations, (Il trébuche sur le terme, mais passe outre (1).) je vous serais reconnaissant de ne pas quitter la propriété... L'encours suit sa quête !

Bérurier lui touche le bras :

— Qu'est-ce que tu débloques ? fait-il.

— Hein ?

Pinuche se ravise.

— Je voulais dire : l'enquête suit son

(1) Passer outre, se dit surtout dans les caravanes.

cours, excusez-moi, la fourche m'a langué ! Bon, conduisez-nous au laboratoire ! demande-t-il au gardien.

Les trois équipiers filent le train au bouledogue. Nous restons entre « employés » à nous regarder un bon moment. Je ne sais pas si vos maigrichonnes cellules grises vous permettent de piger, mais c'est maintenant, les gars, qu'on doit vérifier si ce bijou de San-Antonio est vraiment le superman réputé du Cap Nord à la Terre de Feu, ou bien s'il n'est qu'une vieille savate éculée. Parce que, mettez-vous dans l'épiderme de Monsieur X.

Que pense-t-il en ce moment ? Que ça va chauffer d'ici peu pour sa pomme reinette ! Les commentaires choisis du père Pinaud ont dû l'inquiéter... Cette histoire de documents enfermés dans le coffre lui bouffe la cervelle. Il a les chocottes que les enfants de troupe de la maison Poulardin mettent la main sur la planque... Pour s'assurer du Chizboque, il va grimper à l'étage au-dessus et mater ce qui se passe dans le labo par le voyant des toilettes ! Pas plus duraille que ça ! Il suffisait de créer cette situation... L'essayer, c'est l'adopter, faites vos jeux ! La couleur qui sort est la couleur gagnante !

Attendons...

Nous restons groupés un petit moment, à faire les commentaires qui s'imposent. Puis c'est la dislocation... Pour ma part, je sors et vais m'embusquer derrière le rosier touffu qui flanque le perron ; de ma planque, je peux voir ce qui se maquille dans le hall...

Le gros Berthier sort peu de temps après moi et passe à mes côtés sans soupçonner ma présence... Il se dirige vers l'annexe de sa démarche sautillante d'obèse... Planchoni le suit bientôt. Il le hèle, l'autre l'attend dans l'allée, et les deux collègues s'éloignent dans l'ombre en parlant de ce qui se passe.

Berger et ses tics commente la même question, je suppose, avec Duraître... Martine me cherche, ne me trouve pas et monte... Oh ! Oh ! qu'est-ce à dire ? Elle est suivie de Minivier... Du coup, je n'hésite plus. Je réapparais dans le hall et m'engage dans l'escalier... Je m'applique à ne pas faire grincer les marches... Je vois ma petite môme d'amour pénétrer dans sa chambre... Ouf, j'ai eu chaud... Minivier, par contre, va droit aux « ouatères ». Le San-Antonio n'est pas du tout dévalué, mes chéris... Il tient son cours en bourse, vous le voyez ! N'avait-il pas, par recoupements successifs et pertinents, accroché un énorme point d'interrogation à la personnalité du jeune médecin ?

J'attends qu'il soit entré dans les toilettes et qu'il ait refermé la porte... Je n'ai plus qu'à attendre maintenant en montant la garde devant cet endroit peu romantique.

Quelques minutes s'écoulent... Un bruit caractéristique et très niagaresque retentit. Minivier sort en ajustant ses fringues. Il est fortiche pour donner le change, seulement c'est l'enfance de lard !

— Alors, doc, fais-je en lui barrant la route, on vient de faire sa petite inspection !...

Il me toise sans paraître comprendre.

Je sors mon pétard, un gros machin tout noir qui vous crache des noyaux de prunes longs comme ça !

Il pâlit et a un mouvement de recul.

— Sage ! je grogne, tu es fait, mon gars...

Nature, le voilà qui me joue l'acte deux de « Je suis un innocent ».

Fallait s'y attendre.

— Qu'est-ce que c'est que cette plaisanterie ? demande-t-il d'une voix pointue...

— C'est la fin d'une plaisanterie, mon lapin... Allez, oust, tes pognes, inutile de faire du mélo, je te dis que tu es fait !

— Mais enfin, c'est insensé...

Tandis qu'il proteste, je lui passe le cabriolet.

Il regarde ses poignets enchaînés comme si c'était la première fois qu'il voyait des mains.

— Ah ! ça, allez-vous m'expliquer ?

— Pas de salades, tu sais très bien que je suis de la police !

— Vous ?

— Oh ! finis de jouer les candides, tu ne fais pas vrai ! Allez, descends...

Il ne bronche pas. Ses mâchoires sont crispées.

— Vous allez m'enlever ça immédiatement, sinon il vous en cuira !

— Cause toujours, mon petit Pasteur ! Je te répète qu'il est inutile de nier...

Pour le confondre, je le pousse d'un coup de genou dans le réduit qu'il vient de quitter. Je vais à l'orifice du plancher et j'aperçois mes bons potes en train de farfouiller sans ardeur le laboratoire...

— Ça t'a rassuré, de voir l'incompétence des flics, hein, Trognon ?

Il se penche à son tour.

— Qu'est-ce que c'est que ça ?

— Un gentil travail d'optique, monsieur l'astronome !

— Mais...

— Viens...

— Vous ne pensez pas que je me suis amusé à percer le plancher ?

— Non, je ne pense pas que ce soit par jeu que tu l'aies fait !

Malgré ses protestations, je l'entraîne au rez-de-chaussée. Je dis au bouledogue éberlué d'avertir mes hommes, et le trio Parapluie se radine...

— Suffit, les enfants, la ruse a réussi... Embarquez-moi ce loustic dans la bagnole, je vous rejoins...

Bérurier, qui commence à se dessoûler, met un ramponneau express au plexus de Minivier qui se casse en trois. Le Gros est très farceur. Dès qu'il voit un inculpé, il faut qu'il le chahute un brin pour s'entretenir la pogne. Un jour, il a cassé la frite d'un juge d'instruction de province qu'il avait pris pour un malfrat.

Minivier cesse de bramer à l'erreur judiciaire. Il paraît accablé. Lorsqu'il s'est éloigné, escorté par mes sbires, je me tourne vers Berger et Duraître qui ont assisté à l'arrestation sans piper.

— Voilà, leur dis-je... Le coupable est arrêté... La Justice est triomphante... Vous pouvez aller dans vos appartements. Suivant l'état de santé du professeur, je vous dirai ce que vous devez faire... Allez prévenir vos collègues...

Ensuite, je vais rejoindre les miens.

Ils sont tous les trois dans la bagnole avec Minivier qui ne moufte pas. Je dis à Magnin de sortir pour me laisser sa place. Il le fait et en profite pour allumer une cigarette de la Régie Française des tabacs.

Je me mets à l'avant, près de Pinaud. Béru est installé aux côtés de notre prisonnier.

— Avant de vous embarquer, monsieur Minivier, dis-je, j'aimerais récupérer les documents que vous savez. Voulez-vous avoir l'extrême obligeance de m'indiquer où ils se trouvent ?

— Je vous répète que vous faite fausse route, déclare le jeune médecin. J'ignore tout de cette affaire...

Il n'a pas le temps d'en dire plus long.

Béru vient de lui coller un revers de main qui a écrasé les lèvres du jeune toubib.

— Bouscule pas le docteur, dis-je, chiquant à la bonne âme… Il n'est pas sensible à ces procédés brutaux, pas vrai, doc… Je suis certain que vous allez parler sans nous obliger à ces pénibles voies de fait !

— Parler pour clamer mon innocence, murmure le jeune gars à travers les deux limaces sanglantes qui lui servent de lèvres…

C'est pas une mauviette, malgré son aspect fragile. Il sait bien que tant que je n'aurai pas la main sur les documents, il pourra nier, car il m'est impossible de faire la preuve de sa culpabilité.

Je décide de lui faire le grand jeu. Pour commencer, une nuit au placard spécial de la grande cabane lui fera du bien.

— Emmenez ce client chez Plumeau, dis-je à mes subordonnés… On l'interviewera demain ! Toi, Pinaud, reste avec moi !

Le Vieux descend en maugréant.

Je cède ma place à Magnin et le convoi s'ébranle. Je ne souhaite à personne la gâche de Minivier. Faire un voyage dans ces conditions avec un Bérurier rendu maussade par la gueule de bois, c'est une remise assurée de cent ans de purgatoire !

*
**

Je désigne l'annexe à Pinuche et je lui demande d'aller surveiller un peu les quatre zigs qui s'y trouvent...

Maintenant, le pavillon est sans âme... Je vais dans le bureau du Vieux afin de téléphoner à l'hôpital d'Evreux. Le dirlo m'apprend que l'état du malade est stationnaire. Le fameux toxicologue est à son chevet et on tente l'impossible !

Je raccroche. Indécis, je passe dans le labo qui est resté éclairé... Je vais au coffre et j'essaie de l'ouvrir encore, mais macache ! *Lido* ne répond plus...

Tout à coup, une petite sonnerie d'alerte carillonne sous ma coiffe. Je pars à la recherche du bouledogue et je le trouve occupé à consommer un casse-croûte de voyou (1) sur son lit de camp qu'il vient de déplier.

(1) Le casse-croûte de voyou se compose d'un demi-pain d'un kilo à l'intérieur de quoi on a fourré des oignons et des filets de hareng. Le tout est obligatoirement enveloppé dans un récent numéro de *L'Humanité* (Recette Marie-Chantal).

Je m'assieds près de lui sur le pucier.

— Dites voir, vieux, vous vous souvenez qu'hier au soir je vous ai demandé de me prévenir si le professeur Thibaudin retournait dans la nuit à son laboratoire ?

— Oui, monsieur le commissaire...

— *Well !* Pourquoi ne l'avez-vous pas fait ?

— Parce qu'il n'y est pas retourné...

Je me rembrunis (1).

— Vous voulez dire que personne n'est entré ici entre l'instant où nous en sommes sortis, le prof et moi, hier soir et ce matin ?

— Non, personne !

— Vous êtes sûr ?

— Voyons, monsieur le commissaire, j'étais en travers de la porte, vous savez bien que pour entrer il faut que je m'écarte... Je n'ai pas fermé l'œil un instant ! J'ai lu...

— Attendez, ne nous affolons pas. Ce matin, vous étiez à votre poste encore quand le professeur a... a eu sa crise ?

— Je m'apprêtais à partir.

(1) Comme disait une fausse blonde de mes relations en ôtant ses vêtements.

— Comment cela s'est-il passé ?

— Il est entré... Il a porté la main à son cœur. L'un de ces messieurs, je crois que c'est le docteur Duraître, lui a demandé ce qu'il avait. Il a répondu... « Oh ! un point au cœur sans doute ! » Il est allé à la porte du labo, l'a ouverte, et c'est alors qu'il est tombé raide...

Je suis saisi d'un étrange malaise. Ce n'est donc pas Thibaudin qui a modifié le mot de passe de la combinaison.

— Allez me chercher votre collègue de jour...

L'homme s'éloigne. Je prends sa place sur le lit. Je croise les mains derrière ma tête et je gamberge sérieusement ! Décidément ça continue à ne pas tourner rond. Quelque chose me trouble... Je reste sur ma faim... L'arrestation de Minivier ne m'a pas satisfait complètement. Vous savez, tas de betteraves moisies, combien je fonctionne à l'intuition ? Non, il y a un truc pas ordinaire à découvrir... Mais quoi ?

Le bouledogue revient avec son collègue du jour, un bourru aux cheveux gris.

— Vous êtes demeuré en permanence dans le hall aujourd'hui ? je demande à celui-ci.

— P'faitement, m'sieur !

— Qui est entré au laboratoire ?

— Ben, les ceusses de d'habitude...

— C'est-à-dire ?

— Ben les trois, quoi ! Duraître, Berger, Berthier...

— C'est tout ?

— Plus la petite demoiselle qui est allée et venue...

— Le docteur Minivier n'est pas entré ?

— Non...

— Sûr ?

— Certain !

L'arrestation du jeune toubib commence à me peser sur la conscience. Vous voyez pas qu'il soit allé aux toilettes tout à l'heure pour des raisons tout à fait naturelles ?

— Planchoni non plus ?

— Non...

— Très bien, allez me chercher Duraître...

— Bien, m'sieur...

Je regarde le bouledogue tandis que son collègue disparaît.

— J'ai l'impression de collectionner l'erreur judiciaire, lui dis-je.

C'est plus à moi qu'à lui que je

m'adresse. J'ai besoin de dire à haute voix mes pensées intimes... Je dois avoir le courage de mes erreurs.

Nous n'échangeons plus une parole avant l'arrivée de Duraître. J'entraîne le médecin au laboratoire.

— Vous avez travaillé ici avec vos assistants aujourd'hui ?

— Nous avons bricolé plutôt. Vous savez, le cœur n'y était pas, avec cette histoire du vieux maître !

— Je comprends... Vous êtes toujours restés tous les trois dans cette salle ?

— Comment cela ?

— Je vous pose ma question autrement : l'un de vous est-il demeuré seul à un moment ou à un autre ?

— Non...

— Réfléchissez bien, docteur, c'est très grave...

Il se chope le menton entre deux doigts et s'abîme dans une gamberge prolongée. A la fin, il redresse la citrouille.

— Non, répète-t-il. Je suis certain que personne n'est demeuré seul...

— Pas même la petite Martine ?

— Elle n'a jamais séjourné ici plus de

quelques minutes... Du reste, elle n'a rien à y faire.

— Je m'en doute... Ça va, doc, c'est tout ce que je voulais savoir...

CHAPITRE XIII

PUISQU'IL S'AGIT D'UN COFFRE A *SECRETS*

Duraître est un peu surpris de voir l'entretien tourner court. Seulement, j'ai besoin de me concentrer comme une boîte de lait Nestlé.

Personne n'a pu toucher ce satané coffre depuis que nous avons quitté le labo la veille au soir, le professeur Thibaudin et moi. Cela signifie une chose : le Vieux n'a pas réglé le système de sécurité du coffre sur le mot Lido, ainsi qu'il l'avait dit. Pourquoi ? Parce qu'il n'avait pas confiance en moi ! Il est trop méfiant pour confier un tel secret à une autre personne, fût-ce un flic... Si le vieux savant clabote, on va être obligé de découper le coffre au chalumeau pour l'ouvrir ; à moins que...

Ça me donne une idée plus lumineuse

que les Champs-Elysées par une nuit d'Entente Cordiale !

Je décroche le bigophone et je demande le numéro du « Bar Baras » à Montrouge... C'est un troquet minable qui possède, en fait d'attraction, une taulière de cent trente kilos en un billard électrique tellement « bricolé » par les malfrats qui hantent l'établissement qu'il suffit de le regarder pour qu'il fasse tilt !

La voix barissante du tas de viande qui dirige cette usine à petits blancs demande ce que je veux. Je dis que je suis un pote de la province et que j'aimerais parler à Landolfi-la-Béquille.

Il y a la classique minute d'hésitation ; le non moins classique « Attendez-je-vais-voir-si-qu'il-est-là »... Puis la voix nasale de Landolfi me froisse les trompes d'Eustache.

— Allô !

— C'est toi, Lando ?

— Qui est à l'appareil ?

— Commissaire San-Antonio...

— Tiens...

Nouveau silence aussi poisseux qu'un berlingot sucé. Un vieux pébroque comme Landolfi a beau se tenir les pieds au sec, ça lui coupe toujours la parlote lorsqu'un perdreau le relance.

— J'ai besoin de toi, Lando...

— Ah vraiment ?

— Oui... Seulement je suis dans les Provinces franchecailles... Tu as ta tire dans les horizons ?

— Oui, mais...

— Pas de mais... Précipite-toi au volant et cramponne la route d'Evreux...

— Evreux !

— Oui, le pays où la bonne femme de la chanson voulait vendre des œufs avant de s'endormir dans le train... Fais pas comme elle !

— Mais, monsieur le com...

— Je t'ai dit que je ne voulais pas t'entendre bêler... A dix bornes de la ville tu verras une maison écroulée sur le bord de la route... Tout de suite après y a un chemin... Chope-le ! Tu le suis sur trois bornes et à main droite tu apercevras une grande propriété avec plein de bagnoles arrêtées... C'est là que je t'attendrai... Tâche de ne pas me faire faux bond, sinon j'irai de mes propres mains te casser ta béquille sur le bol, vu ?

Je raccroche. Je sais qu'il viendra. Ça

n'est pas la première fois que je fais appel aux talents particuliers du père Landolfi. Le vieux Rital est renaudeur comme point, mais il ne voudrait pas me jouer « Cruelle Absence »... Il y a une dizaine d'années, je l'ai crevé dans une affaire où il avait joué un rôle secondaire... Mais les durs de son espèce ne gardent jamais rancune à un royco de lui avoir filé la paluche au colback. Ils savent que c'est la règle du jeu.

Pinuche fait une entrée discrète dans le burlingue du prof. Il éternue violemment, chaque fois on dirait qu'il explose.

— T'as pris froid ? m'enquiers-je...

Il fait un signe négatif qui a pour résultat de projeter l'une de ses stalactites sur le mur le plus proche.

— Ce sont les beuilles, dit-il, le nez obstrué.

— Quoi ?

— Les beuilles tes arbres ! En zette zaizon, elles zont une oteur qui be bonte au nez !

— Tu devrais ramper...

Il hausse les épaules. Puis, d'une voix geignarde :

— Tis, qu'est-ze qu'on vait ? Boi j'ai vaim !

— Tu as faim ?

— Foui.

Demande à la jeune femme de te préparer un en-cas.

— Où est-elle ?

— Sa chambre est au second, la première lourde après l'escadrin.

Pinuche s'éloigne... Je reste en compagnie de mes pensées. Celles-ci sont de plus en plus nombreuses et insistantes. L'atmosphère de cette propriété commence à me peser vachement. Moi qui aime l'action, je supporte mal cette longue claustration, ce climat lourd, ce mystère bizarre, à facettes, devrais-je dire, qui n'a jamais le même aspect...

Je perçois des clameurs dans l'escalier... Et j'identifie sans mal la voix chevrotante de mon collaborateur.

— San-Antonio ! Arribefite ! Arribefite !

Je m'élance, comprenant qu'il vient de se produire du nouveau.

Pinaud se tient au sommet de l'escalier, le chapeau en bataille, la morve étirée, le regard flottant.

— La jeune fille, fite !

Je cours à l'escalier en criant au bouledogue de surveiller l'entrée du labo...

Pinaud me chuchote à l'oreille :

— Je crois qu'elle est emboisonnée !

Seigneur ! Qu'est-ce que ça veut dire, ça encore !

J'entre en trombe dans la chambre où je me complus naguère à batifoler (1). Mon regard embrasse (2) un spectacle déprimant.

Martine est allongée sur le parquet. Elle est secouée de spasmes terribles et vomit comme tous les passagers d'un ferry-boat un jour où la Manche débloque. Pas de doute, quelqu'un se l'est farcie au barbiturique...

Je me précipite et je la saisis dans mes bras...

— On va vite l'embarquer à l'hosto, dis-je à Pinuchet... Soutiens sa tête...

Et nous voilà partis avec ce délicat chargement. Le veilleur de noye en est une fois de plus médusé (3).

Nous faisons fissa à travers le parc jusqu'à ma voiture... Et, fouette ! cocher : en

(1) Comme aurait écrit la marquise de Sévigné qui s'y connaissait.

(2) On embrasse ce qu'on peut.

(3) Comme disaient les naufragés d'un certain radeau.

route pour l'hosto. Décidément on les fait marner dur, les carabins d'Evreux... Ils vont appeler des renforts si ça continue.

Le dirlo s'apprêtait à monter dans sa voiture lorsque je stoppe dans un miaulement de freins qui ferait croire à l'arrivée du cirque Barnum. Il s'avance vers moi.

— Vous venez prendre des nouvelles, mon cher ?

— Oui et non. Je vous amène surtout une nouvelle cliente !

Il nous regarde sortir Martine.

— Que lui est-il arrivé ?

— Je pense qu'elle a été empoisonnée. Mais ça ne doit pas être le même poison que pour le professeur car elle a des nausées violentes alors que lui n'en avait pas...

Il donne des instructions pour faire transporter la jeune fille dans une chambre. Puis il entre à la suite de la malade en nous priant de l'attendre.

— Qu'est-ce que ça veut dire ? demande Pinaud...

— J'aimerais le savoir. Qui a pu l'empoisonner, et pourquoi ? Sait-elle quelque chose que le vrai coupable voulait l'empêcher de révéler ?

— Peut-être s'agit-il d'un accident ?... propose mon éminent collègue dont le calme aime se satisfaire d'explications naturelles.

Le médecin-chef revient.

— Je ne crois pas que ce soit grave, dit-il. Le pouls est normal... Le fait qu'elle ait vomi l'a sans doute sauvée... On va lui faire un lavage d'estomac.

— Faites analyser ses déjections, je recommande. Et dès qu'elle aura repris connaissance, prévenez-moi !

— Entendu.

— Comment va le professeur ?

— Le toxicologue de Paris s'occupe de lui, mais très franchement il est impossible de se prononcer... Il est toujours dans un demi-coma... On a l'impression qu'il réalise ce qui se passe, mais il n'a pas la force de se manifester... Demain sera décisif...

— Je vous ai déjà dit que je voulais qu'on le sauve ! Docteur...

Je commence à l'agacer.

Il me le fait savoir d'un haussement d'épaules.

*
**

Landolfi n'est pas encore arrivé lorsque nous sommes de retour à la propriété. Le hall est encombré par messieurs les assistants qui commentent avec énervement les multiples incidents de cette journée fertile en incidents.

L'empoisonnement de Thibaudin, la disparition des documents, l'arrestation de Minivier, l'empoisonnement encore de Martine, c'est plus qu'il n'en faut pour perturber l'existence de braves et paisibles savants...

Braves et paisibles ? Savoir... M'est avis que je me suis gouré sur toute la ligne. Le vrai coupable se trouve parmi ceux-ci. C'est l'un de ces quatre hommes qui a empoisonné Martine, Minivier n'étant plus là !

Lequel ? Le gros Berthier ? Le petit Berger à ressorts ? Le taciturne Planchoni ? Ou bien... Duraître, mon confident ? Si jamais c'était lui, je ne croirais pas du tout en mon fameux instinct.

J'évoque brusquement l'attirail photographique de Berger... Pourquoi n'ai-je pas repris le dessus après qu'il m'a eu mis K.-O.

pour essayer de lui faire dire ce qu'il avait dans le bide ?

Enfin, je suis toujours à temps de m'occuper de lui maintenant. Mais auparavant (1) je veux savoir ce que contient le coffre de Thibaudin...

Justement, le gardien du portail radine, escortant Landolfi. Le vieux Rital porte un costume d'alpaga gris clair, tout taché, un feutre à larges bords et il a troqué sa légendaire béquille contre une canne pourvue d'une tige métallique sur quoi peut s'appuyer l'avant-bras.

— Ce monsieur veut vous parler, déclare le garde.

Je m'avance vers le malfrat, la main tendue.

— Salut, Lando, c'est chic à toi d'être venu... Dis donc, t'as fait des frais, te voilà sapé comme un dandy...

Il sourit.

— Faut soigner son standing de nos jours, monsieur le commissaire...

— Arrive, je veux te montrer quelque chose.

(1) Comme disent les Chinois qui sont des spécialistes.

On s'enferme tous les deux dans le labo et je lui montre le coffre. Il a pigé. Pourtant, je le chambre un peu.

— Landolfi, pendant cinquante piges, t'as été le roi du coffre blindé. Tu possèdes un toucher d'accoucheuse et même les Ricains ont fait appel à tes dons, d'après ce que je me suis laissé dire...

Il rosit de plaisir...

— Oh ! vous me faites trop d'honneur, monsieur le commissaire...

— Ça va, restez couvert, monsieur le baron !

Redevenant grave, je lui désigne le coffre.

— Faudrait t'expliquer avec ce monsieur-là, mon gars. Je vais te rancarder sur ce que je sais de sa vie privée : le bouton molleté est à quatre combinaisons de chiffres et quatre de lettres. Le type qui se servait de lui changeait tous les jours de combine. Il prenait tantôt les lettres, tantôt les chiffres... Et il composait, autant que possible des mots cohérents et des nombres fastoches à retenir... Alors, amuse-toi...

Je tire une chaise à moi et m'assieds à califourchon dessus. Landolfi sort des lunettes à monture de fer de sa poche et en chausse son nez pointu. Puis il extrait de son portefeuille un petit morceau de peau de daim... Il s'astique le bout des doigts de la main droite dessus, très longuement... Ceci, je le sais, afin d'affûter son sens tactile ultra-développé.

Il se penche enfin sur le bouton molleté. Il examine pendant dix bonnes minutes ce simple objet comme si c'était un kaléidoscope à l'intérieur duquel il peut voir des choses pharamineuses... Ensuite il se met à le tripoter doucement, doucement, de ses doigts si sensibles. Il a le masque ravagé par l'attention. Sa bouche entrouverte exhale un souffle très court, très haletant...

Lorsqu'il a bien caressé le bouton (1), il se met à le tourner dans un sens puis dans un autre, très légèrement. Ce gars-là serait capable de peindre sur des bulles de savon !

Ça dure un bout de temps. Je transpire d'énervement. Dans le silence du labo, on ne perçoit que le bruit de nos respirations inégales et le menu cliquetis du bouton molleté.

Enfin Landolfi se redresse. Il pose ses lunettes et décrit plusieurs mouvements de

(1) Pourquoi riez-vous ?

manivelle avec son bras droit, pour le désankyloser.

— Ça ne va pas ? fais-je, inquiet.

— Mais si, dit le vieux truand, ça y est...

— Comment, ça y est ?

— Vous pouvez ouvrir...

J'en reste asphyxié. Comment sait-il qu'il a réussi ?

Je saute de ma chaise et je vais saisir la lourde du coffre. Elle s'ouvre en effet sans opposer la moindre résistance.

Je me tourne vers Landolfi. Appuyé sur sa canne à changement de vitesse, il me considère de ses petits yeux malins.

— Toi, lui fais-je, t'es une épée !

Je sors mon portefeuille et je pique deux grands formats célébrant la jeunesse du sieur Bonaparte.

— Chope ça et décarre, je le mettrai sur ma note de frais...

Il repousse les biftons.

— Pas entre nous, m'sieur le commissaire... Quand on peut se rendre des petits services réciproques, on ne doit pas se les faire payer. On est sur terre pour s'entraider...

J'éclate de rire.

— Bougre de vieux farceur, va !

Il cligne des yeux et part en claudiquant...

Lorsque la porte du labo s'est refermée sur lui, je me penche sur le coffre et je saisis la chemise de bristol emplie de papiers qui s'y trouve. L'idée que je tiens dans mes robustes mains une invention aussi considérable me fait trembler d'émotion.

Je dépose la chemise sur le marbre d'une table à manipulation. Je l'ouvre et je reste *knock-out* debout : elle ne contient que des feuilles de papier blanc...

C'est dur à piger. C'est dur à admettre... Pourtant je dois convenir que lorsque le roi des céhoènes mourra, comme il s'agit d'une monarchie constitutionnelle, je pourrai espérer lui succéder ! D'un geste rageur, je flanque les paperasses dans la corbeille.

CHAPITRE XIV

IL N'Y A PLUS DE *SECRET*

— Tu es tout pâle, observe Pinaud, on ne t'aurait pas empoisonné, toi aussi ?

— Si, lui dis-je. On m'a empoisonné l'âme…

Il secoue la tête.

— Si ce n'est que l'âme, c'est pas dangereux.

Ce mot « empoisonnement » calme ma fureur et me fait songer à la petite môme Martine. Comment lui a-t-on fait avaler le bocon, au fait ?

Je décide de grimper à sa chambre. J'ai besoin pendant un moment d'oublier cette sacrée chiatique invention. Je ne veux plus penser au secret du coffre. Son secret, c'était justement de ne pas en contenir. Il était placé là pour capter l'attention. Il m'obnubilait et ce n'était qu'une boîte à papiers !

Donc, j'escalade les marches et j'entre dans la chambre de la jeune fille. Il y flotte une odeur pénible. Je me dégrouille d'aller ouvrir la fenêtre pour aérer un peu...

Ensuite, je regarde autour de moi, cherchant un indice quelconque qui pourrait me mettre sur la voie. Ce poison, il a bien fallu le véhiculer jusqu'à l'estomac de la petite.

J'ai beau chercher, je ne vois ni verre, ni bouteille, ni tasse... Rien ! Je fouille la pièce, j'explore le cabinet de toilette : en vain...

Chaviré par l'odeur, je vais m'accouder à la croisée... La nuit est immobile. On entend un rossignol qui joue dans les taillis à Marino Marini. Tant de paix me trouble. Comment le drame peut-il croître et se multiplier dans ce calme quasi céleste ?

Mon regard soudain est attiré par quelque chose de brillant dans l'herbe, sous la croisée... Je fixe attentivement cette direction, mais je n'arrive pas à me faire une opinion quant à la nature dudit objet. Le mieux c'est d'aller regarder de près.

Je descends et je vais sous la fenêtre de Martine. Je constate alors que ce qui brillait n'était pas d'or, mais de verre puisqu'il s'agit d'un petit flacon caressé par un petit rayon de lune. Je le ramasse et porte le goulot à mes narines... Ça me fait froncer à la fois le tarin et les sourcils...

J'examine attentivement ma trouvaille et il se passe alors dans ma centrale portable un phénomène de cristallisation...

Oui, tous les éléments épars, tous les faux pas, toutes les pensées saugrenues que j'ai eus précédemment se mettent à danser une ronde effarante sous ma coiffe et prennent une place qui leur était assignée depuis longtemps...

Je cavale en galopant dans le laboratoire... Je ramasse dans la corbeille à fafs le dossier contenant les feuillets blancs et je me trotte jusqu'à ma voiture...

Pinuche radine à ce moment-là, porteur d'un formidable sandwich qu'il a réussi à dénicher quelque part.

— Où vas-tu ?

— A l'hosto... Que font ces bons messieurs ?

— Ils se couchent...

— Très bien... Le sommeil est le meilleur des passe-temps. Attends-moi, je reviens, et ne laisse partir personne...

Nouveau trajet à fond de ballon jusqu'à l'hôpital d'Evreux où mes arrivées en trombe commencent à être connues…

Une infirmière en sort, *furax.*

— Dites donc, hurle-t-elle, vous devriez penser que des malades dorment ! En voilà des façons de freiner…

— Criez pas comme ça, m'dame ! imploré-je, j'ai eu une fissure au tympan et vous allez la faire péter !

Elle ne prise pas la plaisanterie (1).

— Malhonnête !

Je m'élance dans les couloirs…

— Où allez-vous ? crie-t-elle.

— Aux fraises, j'ai justement apporté une échelle…

Vous savez comme mon sens de l'orientation est développé. Bien que j'aie été passablement désorienté ces trois jours, je retrouve aisément la chambre de Martine.

Une infirmière assez moche de hure, mais assez bien carrossée pourtant, se lève.

— Monsieur ? fait-elle…

— Comment se porte notre malade ?

— Mais…

(1) Du reste les femmes ne prisent plus beaucoup de nos jours. Et elles ne reprisent pas davantage.

— Police !

— Ah ! Eh bien ! je crois qu'elle est hors de danger.

— Je le crois aussi, dis-je...

Je m'avance vers le lit où Martine repose, les yeux clos.

Je choque le couvre-lit et le jette par terre.

— Mais qu'est-ce que vous faites ? s'écrie l'infirmière.

En guise de réponse, je rabats les couvertures de Martine. Cette dernière ouvre les yeux. Elle paraît me reconnaître ! D'une toute petite voix elle soupire...

— Oh ! c'est toi, mon chéri...

Je me penche sur elle, je la chope comme un sac de linge sale et je la fous par terre.

Le brouhaha est inexprimable. L'infirmière crie à la garde, Martine pousse des glapissements suraigus... Bref, c'est le gros pataquès !

Moi, je soulève son oreiller, puis son matelas... Et je trouve alors ce que j'étais certain d'y trouver : un étui pour pigeon voyageur... J'ouvre celui-ci... Il contient un très petit rouleau de papier argenté. Je le palpe, c'est mou... Je sais ce que c'est...

Affalée sur la couvre-pointe, Martine

paraît beaucoup moins malade, et beaucoup moins gentille. Ses yeux sont aussi cordiaux que ceux d'un lion qui s'est fait prendre la queue dans l'engrenage d'un moulin à café.

L'infirmière qui était sortie en courant revient, escortée de deux solides infirmiers. Comme les manipulateurs de chairs malades s'apprêtent à me foncer dessus, je leur montre mon feu.

— Stop, je suis de la police et j'arrête cette gonzesse, remisez vos biscotos, les gars !

On s'entend très bien, eux et moi. Surtout que l'attitude de Martine est éloquente.

Galant, je l'aide à se redresser. Elle s'assied sur le lit.

— Maintenant, lui dis-je, faut passer à la caisse, ma jolie... J'ai tout pigé !

Je tire de mon mouchoir le flacon trouvé au bas de la fenêtre.

— Tu as été un peu hâtive, tu vois... Si tu avais envoyé ce flacon dans un fourré au lieu de le jeter simplement dans l'herbe, je n'aurais sans doute rien découvert...

Elle me regarde, intéressée malgré sa fureur véhémente.

— De l'ipéca ! poursuis-je... C'est-à-dire un vomitif très puissant et vieux comme mes robes ! Tu l'as avalé toi-même... Regarde, il y a encore des traces de ton rouge à lèvres après le goulot. C'est ça qui m'a ouvert les yeux... Tu étais la seule bonne femme du pavillon, je ne pouvais pas me tromper !

Elle a un sale sourire.

— Hum ! très fort, le policier... Et alors, qu'est-ce que ça prouve ?

Je la gifle. Ça fait un petit moment déjà que j'en ai envie et on ne doit jamais se refouler trop longtemps, après ça vous colle des complexes...

— Crâne pas, fillette...

Et votre San-Antonio génial de continuer son brillant exposé.

— Quand tu as vu la maison occupée par la police, tu as compris qu'on allait passer la boîte au peigne fin... Alors, tu as voulu planquer tes films, hein ?

Je fais sauter le rouleau de papier argenté dans ma main.

— Des microfilms... Tu as un appareil photo minuscule... Un truc-bidon que je dénicherai bien, maintenant que je sais... Peut-être est-ce une broche truquée, peut-être...

Elle lève son poignet.

— Ce n'est qu'une montre, monsieur le flic !

— Parfait, mignonne, ça m'évitera de chercher... Donc, tu avais les films des travaux du prof et tu voulais les évacuer. Seulement, si tu avais quitté la maison par des voies normales, ça aurait attiré l'attention de messieurs les poulets, hein ? Alors, tu as joué les empoisonnées. Comme ça, ce sont les bignolons eux-mêmes qui t'emmenaient... Et ils ne pensaient pas à te fouiller, ma belle, vu que tu avais l'air d'une pauvre victime...

Elle sourit encore.

— Exact...

— Vois-tu, fais-je, lorsque j'ai découvert la lentille dans le plancher...

Elle a un haut-le-corps.

— Mais oui, je l'ai trouvée, tu vois ! A partir de cet instant j'ai fait mille suppositions, mais quelque chose me chiffonnait. Je me disais que, pour photographier le travail du Vieux, il fallait se trouver en permanence près du judas, or personne dans la maison, pas même toi, ne pouvait se barricader dans les gogues à longueur de journée, *of course!* C'est ce soir que j'ai pigé...

Elle a un tressaillement des paupières.

— Oui, amour joli, j'ai compris ça itou...

Et j'y vais de ma grosse trouvaille.

— Thibaudin est un maniaque, on l'a dit cent fois... Un forcené de la prudence... Il avait tellement les chocottes qu'on chourave son invention que, non seulement, il bouclait ses papiers dans un coffre secret, mais, de plus, il *les transcrivait* à l'encre sympathique !

« Ce travail-là, il l'effectuait le soir, lorsque tout le monde était couché ; ou, du moins, lorsque Thibaudin croyait que tout le monde était couché. Mais toi, à ce moment-là, toi qui habitais dans la maison... toi qui surveillais ses faits et gestes, tu allais prendre position près du trou du plancher et tu photographiais ces fameuses notes qu'il mettait bien en évidence devant lui pour les recopier. Tu pouvais prendre tout ton temps, pas vrai, chérie ?

Elle soupire.

— Dix sur dix, commissaire. Je ne vous croyais pas si fort.

— Dès le premier jour, tu as su qui j'étais parce que tu as assisté de ton judas à ma visite du labo avec Thibaudin, pas vrai ?

— Oui.

— De même, le coup des pigeons était magnifique... Tu t'es aperçue sans mal de la substitution... Nous avions, de nuit, commis une grave erreur avec la couleur des pattes... Tu as vu l'occasion rêvée de nous pousser à des décisions extrêmes...

Je m'assieds sur le lit.

— Dis-moi, tu te doutais que nous allions liquider le prof ?

— Naturellement...

— En agissant ainsi, tu l'empêchais d'achever ses travaux...

Elle a un indéfinissable sourire... Je la secoue.

— Il les avait finis, hein ?

— Oui, dit-elle, depuis déjà huit jours...

— Mais pourtant...

Son curieux sourire s'accentue.

— Il était en pourparlers pour les céder à une puissance étrangère...

Je me mets à hurler :

— Tu mens !

— Non. Vous savez que ses fils ont été

tués... Ce que vous ignorez c'est qu'ils sont morts dans un bombardement américain... Le professeur en avait une haine forcenée pour les Américains. En vieillissant, ça tournait à l'idée fixe... Il savait que, par le jeu des alliances, la France communiquerait sa découverte aux U.S.A. Il s'y refusait... Il préférait la donner aux autres...

Soudain le problème change d'aspect.

— Ce qui veut dire que, toi, tu travailles pour l'Occident ?

Elle sourit.

— Je travaille pour une organisation qui vend à qui paie le mieux.

— Ah bon !... Je vois...

La révélation qu'elle vient de me faire, touchant la traîtrise du Vieux, me secoue.

— Tu es sûre de ce que tu avances au sujet de Thibaudin ? Il voulait remettre aux Russes sa découverte...

— Oui. J'ai surpris une communication téléphonique qu'il a eue avec l'ambassade soviétique... Il a téléphoné le jour de votre arrivée en demandant d'annuler un certain rendez-vous...

Je reste un moment sans penser... Vous savez, on a comme ça, après de trop fortes périodes de tension nerveuse, des passages à vide.

— Bon, habille-toi ! On rentre à Paris...

— Qu'allez-vous faire de moi ?

— Je l'ignore, mes chefs décideront...

ÉPILOGUE

Le lendemain matin, je suis dans le bureau du Vieux. Il est tout sourire.

— Mon cher San-Antonio, bravo ! sur toute la ligne.

— Merci, patron...

Je demande :

— Que fait-on de la fille ?

— Je l'ai interrogée, elle travaille pour le compte d'une organisation dont le siège est à Berne... Comme je ne veux pas faire de publicité autour de cette affaire Thibaudin, qu'elle aille se faire pendre ailleurs.

— Et le savant ?

Le Vieux caresse son suppositoire mordoré sous la lampe.

— Le toxicologue vient de me téléphoner d'Evreux ; il n'a plus aucun espoir... Dans un sens...

— Oui, dis-je, ça vaut mieux ainsi...

Je me lève et serre longuement la main racée qui m'est tendue par-dessus le bureau.

— Encore bravo ! San-Antonio...

Je sors, fier comme bar-tabac. Et devinez qui je rencontre dans l'escalier ?

La môme Martine qu'on vient de relâcher...

Elle me sourit, je lui souris.

— Alors ? fais-je... On rentre en Suisse, comme ça ?

Je m'approche, le sourire enjôleur.

— On pourrait peut-être casser une croûte ensemble ? Ensuite, je connais un petit studio discret où il y a l'eau courante et des estampes japonaises extrêmement éducatives...

Elle rit.

— Vous ne changerez donc jamais !

— J'espère bien que non...

Nous sortons de la grande cabane et nous nous apprêtons à monter dans ma charrette lorsque je m'entends appeler. Je lève la tête et j'aperçois celle de Béru, rubiconde et mal rasée, penchée à une fenêtre du deuxième étage.

— Tu t'en vas ? demande-t-il.

— Oui, pourquoi...

Le Gros s'éponge le front avec le chiffon noir qui fut jadis un mouchoir à carreaux bleus.

— C'est rapport à notre client, dit-il.

— Quel client ?

— Le docteur Minivier...

J'ai les jambes qui font bravo. Bonté divine, je l'avais complètement oublié, celui-là...

— Je lui bille sur le museau depuis hier, annonce le Gros, et il s'obstine à ne pas parler. Est-ce qu'il faut continuer les massages ?

FIN

Achevé d'imprimer le 18 mai 1984
sur les presses de l'Imprimerie Bussière
à Saint-Amand (Cher)

— N° d'impression : 677. —
Dépôt légal : juillet 1984
Imprimé en France

PUBLICATION MENSUELLE